他人を支配する
黒すぎる心理術

Psychological tactics to control others.

マルコ社

はじめに

「人を操る」ことができれば良好な人間関係を築くことができる

『他人を支配する黒すぎる心理術』を手にとってご覧いただき、誠にありがとうございます。

「他人を支配する」「人を操る」という言葉にびっくりした方もいるかもしれませんが、本書で説明する「支配する」「操る」という行為は、強度のマインドコントロールや悪意のある催眠術のような、人を〝だます〟という行為では決してありません。

心理学やそれをベースにした心理テクニックを使って「人を操る」という行為は**人とのコミュニケーションを円滑にして、良好な人間関係を築くため**のとても有効な手段となるのです。本書ではそのための心理学の知識や心理テクニックを章ごとに解説しています。プライベートや職場の人間関係、さらには男女の恋愛の場でのコミュニケーションスキルに悩んでいる人は多いことでしょう。そんな方々にぜひ本書を読んでいただきたいと思っています。

第1章『あの人物も心理術を使っていた!?　黒すぎる心理術の系譜』では、**心理学の歴史や歴史上の人物が使っていた心理術**について紹介。近年の内容では、有名政治家の演説にまつわる心理テクニックから、スーパー、コンビニ、さらに広告にも使われている身近な心理術について紹介しています。

「心理学」「心理術」という言葉を聞くと、ちょっと敷居が高いイメージがあるかもしれませんが、意外にも私たちの身近なところで心理術は利用されているのです。

第2章『相手の「表情」「しぐさ」からホンネを透視する方法』では、**人が頭のなかで考えていることや無意識に感じていることを表情やしぐさから見抜く方法**を紹介。相手の本音や心のなかで感じていることを見抜くことができれば、相手の心境に応じたよりよい対応をすることができることでしょう。

第3章『人を操るその前に…行動に影響を与える8つの心の法則とは』では、**人が何か行動や決断をするときに関係する心理的な「行動原理」**を解説しています。この行動原理を理解しておくことが、人を心理学的テクニックで「操る」ときに大切になります。

第4章『他人を支配する黒すぎる心理術』では、いよいよ**人を操るための実践的な心理テクニック**を紹介していきます。言葉を使うテクニックはもちろんのこと、しぐさや顔の表情、見た目などで人の行動や心理を操る方法も解説しています。**ビジネスシーンや男女の恋愛の場で役に立つ心理テクニック**についても触れていますので、ぜひ参考にしてください。

第5章『他人に「操られない」ための心構えとは?』では、**相手に騙されたり、利用されないための心構え**を紹介しています。

本書で解説している人を操る心理テクニックをうまく使うことができれば、よりよい人間関係を築くことにつながり、あなただけではなく、あなたに「操られた」周りの人たちにも利益をもたらすことができるでしょう。それでは、最後までぜひお付き合いくださいませ。

取材にご協力いただいた心を見抜く専門家

神岡真司（かみおか・しんじ）

ビジネス心理研究家。日本心理パワー研究所主宰。法人を対象にしたモチベーショントレーニングや組織活性化コンサルティング、心のパワーアップセミナーなどでも活躍中。著書に『思い通りに人をあやつる101の心理テクニック』（フォレスト出版）、『相手を自在に操るブラック心理術』（日本文芸社）など多数。

匠 英一（たくみ・えいいち）

株式会社認知科学研究所・代表取締役。デジタルハリウッド大学教授。ビジネス心理士学会・副会長。立正大学心理学部非常勤講師、聖マリアンナ医科大学非常勤講師、ほか多数の企業顧問を担当。著書に『これだけは知っておきたい「心理学」の基本と実践テクニック』（フォレスト出版）など多数。

山岡重行（やまおか・しげゆき）

聖徳大学人文学部心理学科講師（社会心理学）、心理学博士、臨床心理士。著書に『サイコ・ナビ 心理学案内』（おうふう）、『ダメな大人にならないための心理学』（ブレーン出版）など多数。

（50音順・敬称略）

はじめに

第1章　あの人物も心理術を使っていた⁉ 黒すぎる心理術の系譜

第2章　相手の「表情」「しぐさ」からホンネを透視する方法

CONTENTS

CONTENTS

CONTENTS

CONTENTS

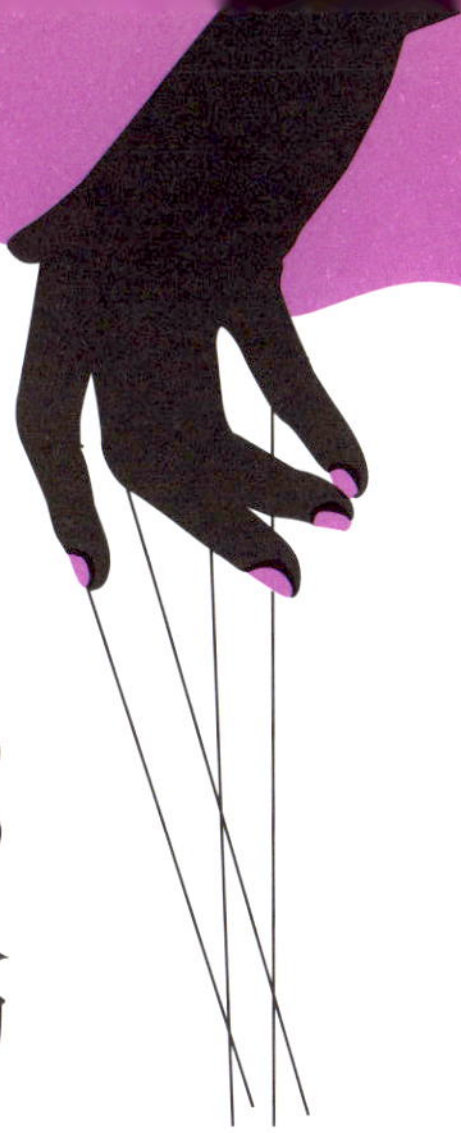

第1章

あの人物も心理術を使っていた!?

黒すぎる心理術の系譜

心理学のはじまり

現代の科学的な心理学が誕生したのは19世紀末のことです。心理学の父と呼ばれるドイツの哲学者・生理学者のヴィルヘルム・ヴントが、ドイツのライプツィッヒ大学で心理学実験室を開設したのが、そのはじまりとされています。

もちろんそれまでも人間の心をめぐる問題の探求は、さまざまな哲学者や医学者らによって行われてきました。

「人間の心は生まれたときから様々な概念があらかじめ備わっている」という生得観念の立場をとった古代ギリシアの哲学者プラトン。**「人間の精神は生まれた直後の状態では完全な白紙であり、成長・学習によって様々な働きを習得する」**と考えた、プラトンの弟子であるアリストテレス。ふたりの立場は対照的ですが、それは現代の心理学にも影響を与えているといわれています。

「我思う、ゆえに我あり」という有名な命題で知られる17世紀フランスの哲学者ルネ・デカルトは、近世哲学の父であるだけでなく、現代につながる心理学が生まれる基盤を整えた人物でもあります。デカルトは「生まれたばかりの人間の心には、様々な概念があらかじめ備わっているのか、それとも完全な白紙の状態なのか」というテーマに対して、プラトンと近い立場を取っていました。そして、**人間は様々な概念を学習や経験に**

よって習得するのではなく、生まれたときからすでに習得しているという生得説に従って、人間の精神構造を分析する**「能力心理学」**を提唱します。

一方で17世紀には、デカルトの能力心理学とは対照的な理論も、イギリスの哲学者ジョン・ロックやデイヴィッド・ヒュームなどから提唱されます。彼らは**人間は経験によって知識を習得する**という イギリス経験論をもとにした**「連合心理学」**と呼ばれる理論を展開しました。

このような研究は哲学の一分野として行われていたわけですが、19世紀になると生理学や解剖学、物理学などの発達により、**自然科学的な心理学**の流れも生まれます。とくにドイツの物理学者グスタフ・フェヒナーが提唱した**「精神物理学」は、精神と身体、心とモノの関係を実験や測定を用いて数量的に捉えようとした学問**であり、人間の心の働きを実証的に考える現在の心理学の重要な基礎になりました。

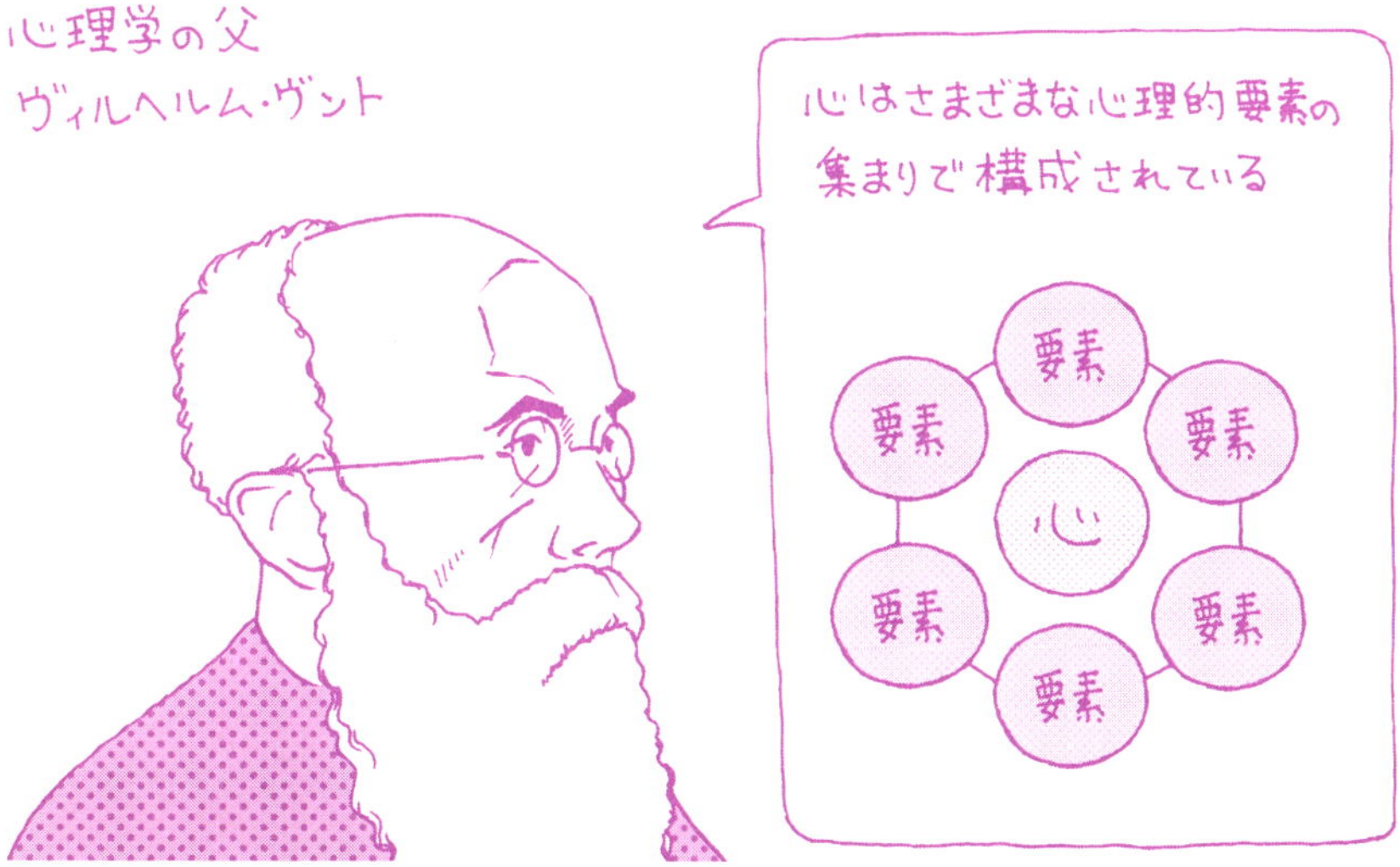

哲学的な心理学から自然科学的な心理学へ

冒頭で紹介したドイツの哲学者・生理学者のヴントは、こうした哲学的、自然科学的な心理学の流れを背景にして、19世紀に登場しました。ヴントはそれまで哲学者が扱ってきた人間の心の働きに関する研究に自然科学的な手法を取り入れ、生理学者の立場から**「実験」と「観察」を用いて実証的に心を探求する「実験心理学」**を実践したのです。

彼は人間の心の働きが様々な心理的要素の集まりで構成されているとし、心理的要素のひとつひとつを分析。その構成を解き明かすことで人間の心の働きが明らかになると考えました。そのため、**実験の被験者に様々な刺激を与えて、そのときの心の動きを聞き取り調査する「内観法」**と呼ばれる実験手法を取り入れ、心理的要素と構成法則を明らかにしようとしたのです。このことから、ヴントの実験心理学は**「構成主義心理学」**とも呼ばれています。

内観法は客観性に欠けるとして、のちの行動主義や機能主義の心理学者から批判されることにもなりますが、実験と観察を主軸とした科学として心理学を成立させたヴントにより、心理学はそれまでの哲学的なアプローチから独立し、進化を遂げたのです。

ヴントの構成主義心理学を批判した代表的なもののひとつが、ドイツの心理学者マックス・ウェルトハイマーによって提唱された**「ゲシュタルト心理学」**です。「人間の心は様々な要素が集まって構成されている」と考えたヴントの構成主義心理学に対して、ゲシュタルト心理学では**「人間の知覚は個々の感覚刺激から構成されているのではなく、個別の刺激には還元できない**

全体的な枠組みによって規定されている」と考えました。

例えば、フィルム映画はひとつひとつの静止画が集まったものです。もしヴントの立場に立つのなら、人間はフィルム映画をひとコマずつの静止画という〝要素〟として認識できるはずですが、実際は静止画を〝映像〟として認識します。これは、本来は静止しているのに動いているように見える**「仮現運動」**が働くからですが、ウェルトハイマーはこうした点を突いてヴントの構成主義心理学を批判したのです。

ゲシュタルト心理学はその後も、ドイツの心理学者であるウォルフガング・ケーラーやクルト・コフカらによって発展していきました。また、ドイツで生まれアメリカで活躍した心理学者クルト・レヴィンはゲシュタルト心理学の影響を受け、人間の行動は個人のパーソナリティや欲求だけではなく、その人が置かれている生活空間に影響を受けているとする**「トポロジー心理学」**を展開します。

様々な学問と連携し、新たな分野を生み出し続ける心理学

ゲシュタルト心理学と同時期にアメリカではじまったのが、心理学者J・B・ワトソンが提唱した**「行動主義」**です。ゲシュタルト心理学は人間の心はひとつのもので分割できないとしてヴントの構成主義心理学を批判しましたが、ワトソンは被験者の心の動きを聞き取り調査するヴントの内観法が、被験者がウソをつく恐れがあるとして非科学的だと批判。**より客観**

的にデータを集めることができる刺激や反応の関係を研究するべきだと唱えました。

ワトソンが行った実験には次のようなものがあります。生後11カ月の幼児に白ねずみを見せて、手を伸ばそうとするたびにハンマーで大きな音を出して驚かせました。すると、実験後に幼児は、白ねずみだけではなく、白いうさぎや毛皮のコートを着た人間も怖がるようになったのです。この実験からワトソンは、**人間の不安や恐怖は後天的な環境に依るところが大きい**と考えました。

しかし、行動主義は人間の多様な心・意識を機械的に捉えすぎているという批判が多くなり、**複雑で多様な人間の意識の過程も反応のひとつとして扱うべき**だとする「**新行動主義**」が、アメリカの心理学者クラーク・ハルやエドワード・トールマン、バラス・スキナーらによって提唱されることとなるのです。

新行動主義やゲシュタルト心理学は、ともに現代の心理学に大きな影響を与えていますが、両者がヴントの構成主義心理学への批判から理論を展開していったのに対して、ヴントとはまったく違う立場から発展し、現代心理学の源流のひとつとなったものがあります。それがオーストリアの精神科医であるジークムント・フロイトにはじまる「**精神分析学**」です。

人間の行動には、心のなかでもはっきりと自覚できない部分、つまり無意識の願望が関わっていることに気づいたフロイトは、人間の心が原初的な衝動である「**エス**」と「**自我**」「**超自我**」からできていると考えました。20世紀最大の発見といわれた無意識の概念にもとづくフロイトの精神分析は多くの心理学者に影響を与え、オーストリアの精神科医アルフレッド・

アドラーによる**個人心理学**、カレン・ホーナイ、エーリヒ・フロム、クララ・トンプソンらによる**新フロイト派**、そしてスイスのC・G・ユングによる**分析心理学**など、数々の新しい学派が生み出されました。

そして現代でも、心理学は様々な学問と連携することにより、新しい分野が次々と誕生しています。心理学は、社会心理学や発達心理学など、**心理学の一般法則を研究する「基礎心理学」**と、臨床心理学をはじめ、**基礎心理学で得た法則を様々な領域の問題に活用する「応用心理学」**に大きく分かれ、企業のマーケティングや商品開発、スポーツ、教育、医療現場などでその知識が活用されているのです。

ヒトラーの演説に隠された黒すぎる心理術とは?

人間の心理を巧みに利用して、世界の歴史に大きな影響を与えた人物が、ナチス・ドイツの独裁者アドルフ・ヒトラーです。

何万人もの観衆を前に、大げさな身振り手振りで演説するヒトラーの姿は、皆さんも教科書やテレビなどで見たことがあるでしょう。彼の演説に対する考え方、そして実際の演説のなかには、**大衆の心を意のままに操る様々な心理テクニック**を見てとることができます。

例えば、ヒトラーは**演説を黄昏時に行う**ことにこだわりました。人間の思考や判断能力は、朝起きてからの経過時間や周囲の気象の変化によって上下の波を繰り返し、夕方になると疲労や周囲の暗さなどが相まって、激しく低下すると考えられています。心理学ではこれを**「黄昏時効果」**と呼んでいますが、ヒトラーは思考力が鈍ることで周囲の意見に巻き込まれやすいその時間帯を狙って、演説を行っていたのです。

大衆に自らの政策などを覚えこませるために、**演説の最中で同じフレーズを何度も繰り返して語る**ということも行いました。心理学ではこのような手法を**「単純接触」**と呼びます。特定の刺激を繰り返し人に与えることで、その刺激や刺激をもたらす人やモノに対する警戒心を解き、逆に好意を抱かせるのです。

「大衆の受容能力は限られており、理解力は小さいが、忘却力は大きい」と考えたヒトラーは、自分の政策をワンフレーズのスローガンに凝縮させ、さらに大衆が飽きないように、**同じテーマを違う角度や違う言い回しを用いて繰り返し訴えかけた**のです。

彼の演説には、ドイツという自分の国の現状を徹

底的に〝こきおろし〟、そのうえでどん底の国が様々な障害を乗り越えて、かつての栄光を取り戻し、未来を作っていこうという語り口がよく使われます。世界恐慌に端を発した経済不況がドイツを襲っていたなかで、こうしたストーリーの演説は多くの大衆の共感を呼びました。これに似た心理テクニックに**「ロミオとジュリエット効果」**と呼ばれるものがあります。

シェイクスピアの戯曲「ロミオとジュリエット」の悲哀の物語から名付けられたこの心理効果は、**ある目的に対して障害が多いほど、それを乗り越えて目的を達成しようとする気持ちが高まる**というものです。この心理効果は恋愛問題でよく取り上げられますが、希少価値の高いものほど購買意欲を誘うなど、企業のマーケティングなどの場面においても取り入れられている心理テクニックです。

演説のなかでヒトラーは聴衆に対して、**二者択一の問いかけ**も頻繁に行いました。「ドイツが共産党に支配されるのがよいか。それとも我々ドイツ労働者党がよいのか」「戦争か、平和か」「ユダヤ人に支配されるままなのか。それとも皆殺しにするのか」――などと、極端な選択肢ではありますが、まるでそれら以外の選択肢はないかのように、聴衆に迫ったのです。これは、人がもっともらしい前提や選択肢を与えられると、それ以外の選択肢があるにも関わらず、与えられた選択肢のなかだけで物事を判断してしまいやすいという**「誤前提暗示」**という心理状態で説明することができます。

選挙演説にも心理術が使われていた！
橋下徹の心理学的スピーチ術

ヒトラーはこのように、今日でも様々な場面で用いられる心理テクニックを巧みに利用して、大衆の心理を操作し、独裁国家を作り上げていきました。そして今日の日本で〝独裁者〟として時に批判されながらも、２０１１年の大阪府知事選・大阪市長選のダブル選挙に圧勝し、大阪市長の座についた政治家・橋下徹氏も、演説の名士としてほかの政治家の追随を許さない存在です。

橋下氏の演説を分析してみると、かつてヒトラーがドイツを徹底的にこきおろすと同時に、過去の栄光を取り戻していこうと展開した演説手法と同じような語り口を使っていることがわかります。

次の文章は、**２０１０年４月の大阪維新の会発足総会**において、大阪府議や市議、そしてテレビカメラなどを前に橋下氏が行ったスピーチからの抜粋です。

「僕はあの、今の大阪、こんな大阪のままで、ここに住み続けようなんて気はさらさらありません。この大阪で子どもを育て続けようなんていうこと、まったくそんな気にもなりません。（中略）しかし知事をやってこの2年間、いろいろ勉強させてもらいましたが、大阪のポテンシャルはものすごい高いんです。世界の中でも10本の指に入るくらいの、それくらいの能力を持っています。(中略)ニッポン丸はもう沈むでしょう。おそらく沈んでいくでしょう。だけどこのまま沈んでいくのを見届けるのは、僕はがまんがならないし、皆さんも同じ気持ちだと思っています。そうであるなら、まずこの大阪丸からもう一度作り直して前に進んでいこうじゃありませんか?」(『独裁者の最強スピーチ術』川上徹也/星海社　より)

当時、自分が府知事を務めていた大阪を徹底的に批判したあと、大阪の可能性にもしっかりと触れ、さらにニッポン丸と喩えた日本が沈んでいくとしても、大阪だけは作り直していこうと訴えかけます。**こうして聞き手を自分のストーリーに感情移入させることで、人々の心を動かしていった**のです。

2010年11月、大阪維新の会の街頭演説では、**「誤前提暗示」**の心理術を用いた演説テクニックを見ることもできます。次の文章は、橋下氏の「大阪都構想」について、当時の大阪市長である平松邦夫氏から批判を受けたことに対する反論です。

「大阪府民の皆さーん、重要なことは、新しい制度である大阪都構想に問題点がどれだけあるかではない。いまのまんまでいいのか?　このまんま衰退する大阪のまんまでいいのか?　現体制がいいのか?　新しい体制に移るのか?　そこだけなんです」(『独裁者の最強スピーチ術』川上徹也/星海社　より)

このように問われて「衰退する側」を選択する人は多くありません。衰退する現体制、新しい体制のどちらがいいかと巧みに二者択一の問いかけを行い、聴衆に新しい体制＝大阪維新の会を選択することを促したといえるでしょう。

橋下氏は演説内容を印象づけるために、**わかりやすく刺激的な短いフレーズを引用する「サウンド・バイト」**と呼ばれる手法も多用しました。

サウンド・バイトとは文字通り「音で噛み付く」という意味で、先に引用した演説にある「大阪都構想」をはじめ、「大阪丸からもう一度作り直して前に進んでいこう」などのフレーズがそれに当たります。

誰もがすぐに覚えられる、**単純で響きのよいフレーズを繰り返す**ことで、聴衆の頭にそのメッセージをしっかりと焼き付けられるだけではなく、**テレビや新聞などでもそのフレーズが取り上げやすくなる**のです。

サウンド・バイトを演説のなかにうまく取り入れて、大衆やメディアを操作するテクニックは、第40代アメリカ合衆国大統領であるロナルド・レーガンの時代にはじまったといわれています。

レーガン以降、サウンド・バイトは様々な政治家に用いられていて、小泉純一郎元首相の「私が自民党をぶっ壊します」「構造改革なくして成長なし」や、ジョージ・W・ブッシュ第43代アメリカ合衆国大統領が当時テロ支援国家と見なされていた国々を念頭にした「悪の枢軸」、バラク・オバマ第44代アメリカ合衆国大統領の「Yes, we can」などのフレーズは、今も多くの人の記憶に残っているのではないでしょうか。

アナタも操られている!?
スーパーマーケットに潜む心理術のワナ

政治の場に限らず、心理術は私たちの日常生活の様々な場面でも利用されています。例えば、皆さんが日常的に使うスーパーマーケット。ほとんどのスーパーやショッピングセンターでは、客が店内を**「左回り」**で歩くように導線が設計されていることに気付いていたでしょうか。

なぜそうした設計になっているのかというと、**人間は心臓がある左側に回るときは周囲の空間を気持ちよく感じやすく、反対に右側に回るときは気持ち悪く感じやすい**という人間心理をもとにしているからだといわれています。つまり、店内をお客にとって居心地のよい空間だと認識させ、滞在時間を少しでも長くして売り上げを上げるために、こうした設計がなされているのです。

また、スーパーの入り口には必ず果物や野菜の売り場があることも、人間心理に基づくマーチャンダイジングのひとつです。

というのも、心理学では、**人間は「色」から様々な影響を受ける**と考えられていて、住居や会社などの様々な環境には、人間がより快適に効率的に活動ができるよう、色彩を調整する**「色彩調節」**と呼ばれるテクニックが用いられています。

例えば、赤やオレンジなどの暖色系の色は温かさやポジティブさを感じさせる色、反対に青や緑などの寒色系の色は冷静さや涼しさを感じさせる色であるといわれています。こうした色がもたらす心理作用をもとに、色鮮やかな果物や野菜をお店の入り口に配置することで、客の気持ちを高揚させて購買意欲を高める狙いがあるのです。

店内に流れているＢＧＭにも、**購買意欲を高める心理テクニック**が使われています。アメリカのマーケティング学者であるロナルド・ミリマンが行った研究によると、スーパーマーケットで速いペースのＢＧＭを流すと、ゆったりとしたＢＧＭに比べて、店内の人の流れや売り上げが高まるという実験結果が導き出されました。一方で、レストランで実験を行った際には、ゆったりとしたＢＧＭのほうがお客の滞在時間が長くなり、注文数が増加したそうです。

このように、人間は比較的速いテンポのＢＧＭを聴くと活動性が高まり、反対にゆったりとしたテンポのＢＧＭを聴くと、リラックスした気分が引き出されるという心理作用が働きます。それをもとにして、スーパーや飲食店などではＢＧＭを売り上げアップの重要な手段として利用しているのです。

コンビニは心理術のワナの宝庫だった!?

いつも何気なく買い物をするコンビニエンスストア。ここでも心理テクニックを徹底的に応用した店舗設計がなされています。

ひとたび店内に入った客に多くの商品を買ってもらうためには、店内を少しでも多く〝歩いてもらう〟必要があります。そのためコンビニでは左ページの上図のように、**よく買われる商**

【コンビニの店内導線】

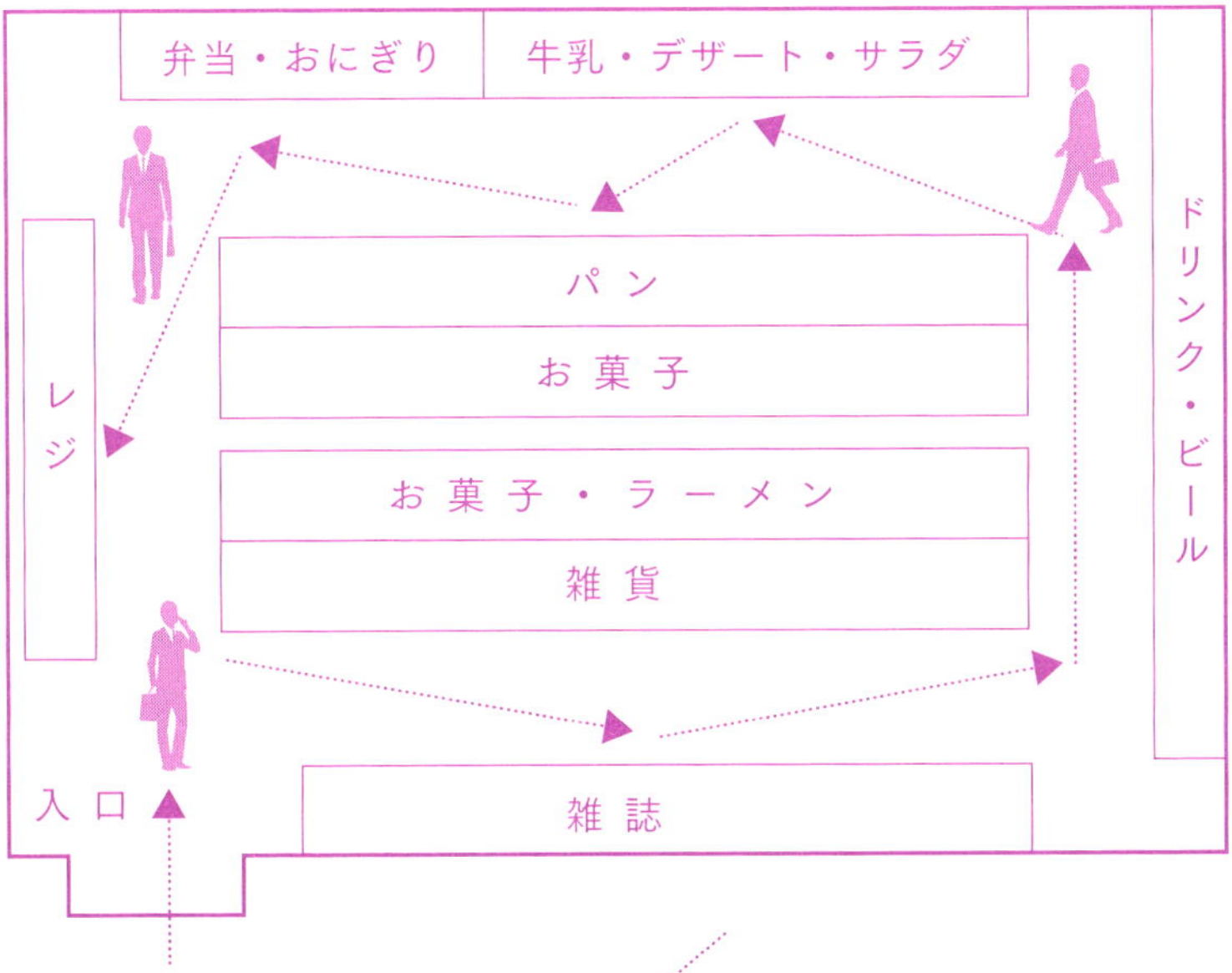

【棚を対象にした目の位置】

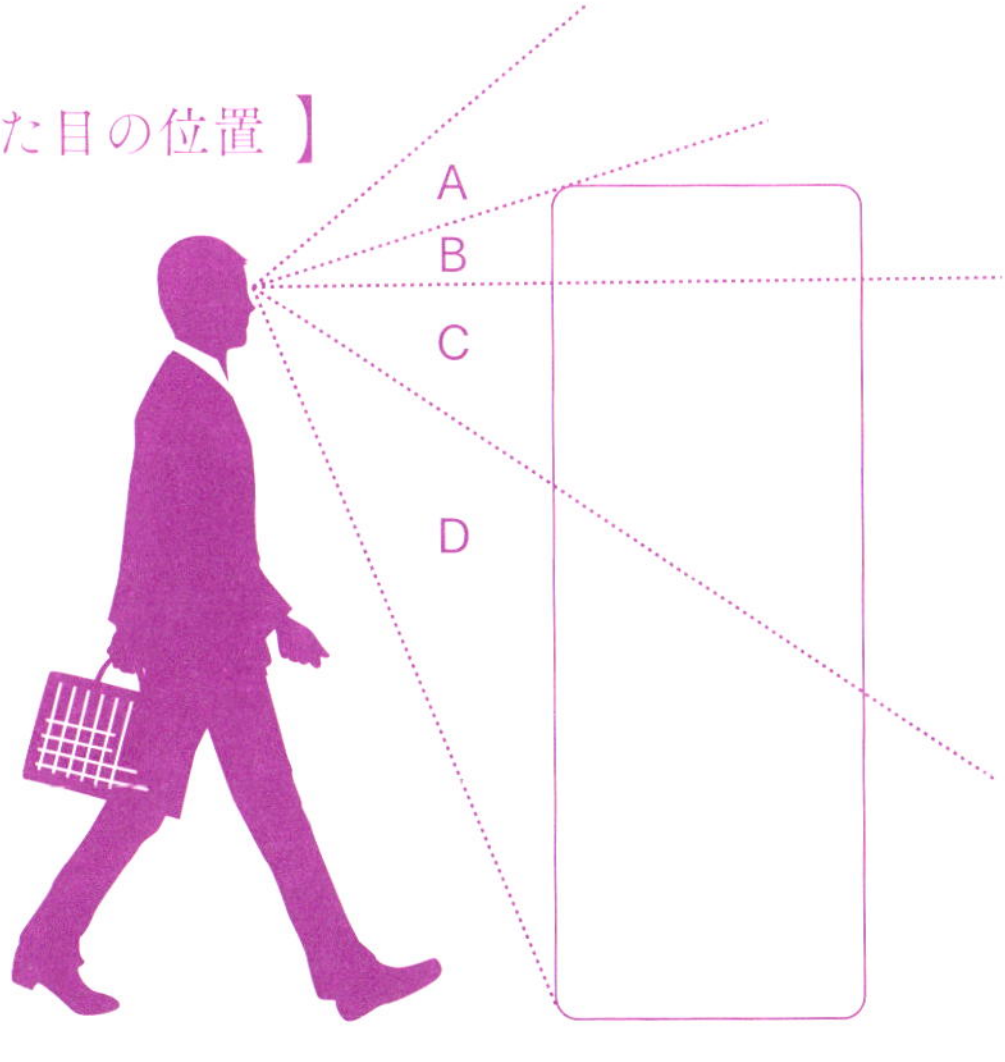

品を店の端々に陳列して、客が歩く導線を長くしているのです。

つまり、入り口の近くには雑誌コーナー、その奥にはドリンクコーナーを設け、ドリンクコーナーの脇にはデザートやサラダ、そして弁当やおにぎり、サンドウィッチなどを並べるというレイアウトを取り入れることで、店内を客が一周して、さらに商品を購入するように仕向けているのです。

また、雑誌コーナーが入り口近くのガラス窓によく設置されているのも、立ち読み客を〝誘蛾灯《ゆうがとう》〟として外の客を引き込んだり、店内に人がいることで安心感を与えるといった効果を狙ったものです。

店舗のレイアウトだけではなく、棚のなかの商品も心理学に基づいて配置されています。人間は一般的に、**自分の目線の上方の領域には成長を求める心が働き、下方の領域には安心を求める心が働く**と考えられています。それに基づいて、コンビニの棚の配置は、Ｐ27下図のように細かく分けられているのです。

Ａの領域…希望と思索を中心にした心理が働くため、空間が必要とされる領域。

棚の高さを低くすることでスペースを確保し、圧迫感をなくしている店舗が多い。

Ｂの領域…思索や清潔感が働く領域であり、スローガンやキャンペーンＰＯＰなどの設置に最適。

Cの領域…自己主張と情愛を感じる領域。モノが最もよく確認できる位置のため「ゴールデンライン」と呼ばれていて、売れる商品を設置するのに最適。

Dの領域…慣習の心が働く領域。よく使われるものや定番アイテムなどが配置される。

このような心理テクニックが縦横無尽に張り巡らされているのが、現代のコンビニエンスストアなのです。

広告に仕組まれた黒い心理術

私たちが日頃目にする広告にも、数々の心理テクニックが活用されています。広告の種類はテレビCM、新聞・雑誌広告、街頭ポスター、インターネット広告など多種多様です。とはいえ、同じメッセージを繰り返し発信することで消費者からの好感度を高める**「単純接触」**や、ブランド的な魅力等を誇示することで商品自体が優れているように見せる**「ハロー効果」**などを巧みに利用し、消費者の購買意欲を刺激するというところでは、どれも共通しています。

例えば皆さんは、サラリーマンや主婦といった〝素人〟に商品の効能を語らせている健康食品のテレビCMを見たことはないでしょうか。これはお互いが似た者同士であることを認識すると、親密度が増すという**「類似性の法則」**を利用した広告手法で、CMの出演者に対して視聴者に親近感を抱かせることで、商品も身近な存在として感じさせ、手にとってもらいやすくなることを狙っているものだといえます。

また、消費者の深層心理に訴える広告を提唱したアメリカの深層心理学者E・ディヒターは、**「人の心のなかでは快楽と罪悪感が常に衝突しあっている。広告マンの大きな仕事は商品を売り込むことよりも、消費者に同義的な安心感を与えることだ」**と考えました。

ディヒターはこの考えを、キャンディの売り込みで自ら実践します。1950年代のアメリカでは、砂糖入りのお菓子が虫歯や肥満の原因であると指摘されていたため、お菓子の売り上げが減少していたそうです。そこでディヒターは、大きなキャンディケースのなかに一口で食べられる小型のキャンディを入れたお菓子を販売しました。すると「ほんの一口食べるだけで、あとは捨ててしまえる」という安心感が消費者の間に生まれ、結果的にキャンディの売り上げは伸びたというのです。

このように、消費者の心の奥底にある消費への動機を探し出す手法を**「モチベーションリサーチ」**と呼びます。モチベーションリサーチは広告関係者の間で注目を集め、なかでもプロクター&ギャンブル社の石けん「アイボリー」の広告コピー「Wash your troubles away(あなたの悩みを洗い流しましょう)」は、ディヒターのアドバイスにより生まれたといわれています。

ディヒターの手法は、多種多様に展開する現代の広告・マーケティングの世界においても影響を与え続けており、近年マーケティングの世界で使われている、消費者調査や社会的動向などを踏まえて消費者を洞察する**「コンシューマー・インサイト」**などとの類似性も指摘されています。

第2章

相手の「表情」「しぐさ」から ホンネを透視する方法

相手の「表情」「しぐさ」からホンネを読み解く

ここからは、コミュニケーションを円滑にしていく上で、「人を操る」ために必要となってくる「相手の心理を見抜く方法」をご紹介していきます。

私たちは日常生活で常に周囲の人とコミュニケーションを取り合っています。それは言葉をかわすことにはじまり、相手の「表情」や「しぐさ」などを通じて何を思っているのか判別しています。

しかし、**相手の本当の心のうちを知ろうとしたとき、言葉だけに注目してそれを読み取ることはほぼ不可能**といえるでしょう。感情と言葉にはそれほど深い結びつきがなく、たとえ実際の考えと正反対のことを言ったとしても、相手の本心を見抜くことは難しいのです。

もし、本当の心理を知りたいと思ったならば、感情とつながりの深い「表情」や「しぐさ」からも読み取っていかなくてはなりません。心理学では、この言語以外の要素でコミュニケーションを取ることを**「ノンバーバルコミュニケーション（＝非言語的コミュニケーション）」**といいます。

この「ノンバーバルコミュニケーション」をより効果的に使いこなすためには、相手が見せる表情やしぐさがどのような感情を表しているのかをまず知ることが大切です。**手や脚、姿勢のちょっとした動きや微妙な表情の変化を読み取り、知識と照らし合わせていく**ことで相手の感情や心理を見分けることができるようになります。

また「表情」や「しぐさ」には、本人でも気付かない「感情の動き」が反射的に表れてくるものです。とくに、相手に本心を見せたくない場合には、つくり笑いをしたり、相手の話に同調するためにわざと驚いたリアクションをしてみせたり、また身振り手振りにもより強く反射的な反応が表れたりします。

ノンバーバルコミュニケーションをうまく使えば、このような反応を認知することができ、相手の心を見抜く最大のヒントになってくるのです。

「表情」は心を映し出す鏡

人の「感情」は、様々な「表情」となって顔に表れます。**表情は、感情の動きを敏感に反映するもの**であり、パーソナリティとも強く結びついているのです。

そもそも「表情」とは、人間が進化する過程で、目の前に起こる様々な出来事に適応するための反射反応が残ったものであるといわれています。

例えば「眉を上げる」という動きは、視野を広げて見ようとするものを的確に捉えるための動きであったり、恐れのために「口を開けて緊張する」のは、その恐れに対処するための準備態勢と考えられています。

ですから心のうちを隠そうとしても、感情や思考からの反射反応によって表情には必ず何かしらのサインが表れてしまうのです。

これらの考えは、アメリカで表情に関する実験を行った心理学者ポール・エクマンが提唱したもので、彼はさらに人間はある特定の「感情」を感じると、全人類で普遍的に同じ表情となって表れるという学説「ＦＡＣＳ（Facial Action Cording System）」を提唱しています。

その普遍的で特定の感情には、**「驚き」「恐怖」「悲しみと絶望」「憤りと怒り」「嫌悪」「軽蔑」「喜びと歓喜」の７つ**があります。当然、感情にはもっと多くの種類が存在しますが、これら７つに連動した表情は全人類に共通したものであると言われています。

すべての人は、日常生活において、これらの表情をコミュニケーションの指針として相手の感情を無意識に読み取っています。それと同時に、自分が相手に感情を見せる際には、見られていることを意識して表情を「演じる」こともあります。例えば、相手が楽しそうに話をしているとき、自分はそこまで楽しいと感じていなくても、「笑顔」を作ることでその場に適切だと思われる反応を示そうとするのです。言い換えれば、人は相手にある感情を感じているように見せたいと思った場合、その感情に伴って「表れるはずの表情」を作るものなのです。

相手が本当は楽しんでいないのに、自己満足で一方的に話をしている状態は、円滑なコミュニケーションができているとは言えません。ですから、相手の本当の心理を知るために、この「作られた表情」を見抜くテクニックが必要になってきます。しかし実際には、これらのつくり笑いに気付けずに、本物の笑顔だと思ってしまう人がほとんどなのです。

そこで、まずは７つの感情ごとに表れる表情の特徴を理解することからはじめましょう。これを知ることができれば、簡単に相手の心理を知ることができるようになるはずです。

では、それぞれの表情の特徴をひとつずつ見ていきましょう。

①「驚き」の表情は「眉毛」と「額のしわ」が特徴

まず、人は驚くと必ず、**眉毛がぐっと上にあがり、額に横じわ**が入ります。さらに目は大きく見開かれ、まぶたが上下に開き、白目が表れます。そして、下あごが下がり、口が少し開きます。

ちなみに、「驚いたときの表情」と「びっくりしたときの表情」は、まったく違いますから、区別できるようになりましょう。大きな音などにびっくりした瞬間の表情は、目を細め、眉が下がり、唇を閉じて水平に伸びます。これらは、非常に短時間で消え、また表情を隠すことは不可能ですから、はっきりと認識できるでしょう。

②「恐怖」と「驚き」の表情を見分ける

恐怖を感じているときの表情は、驚きの表情と似

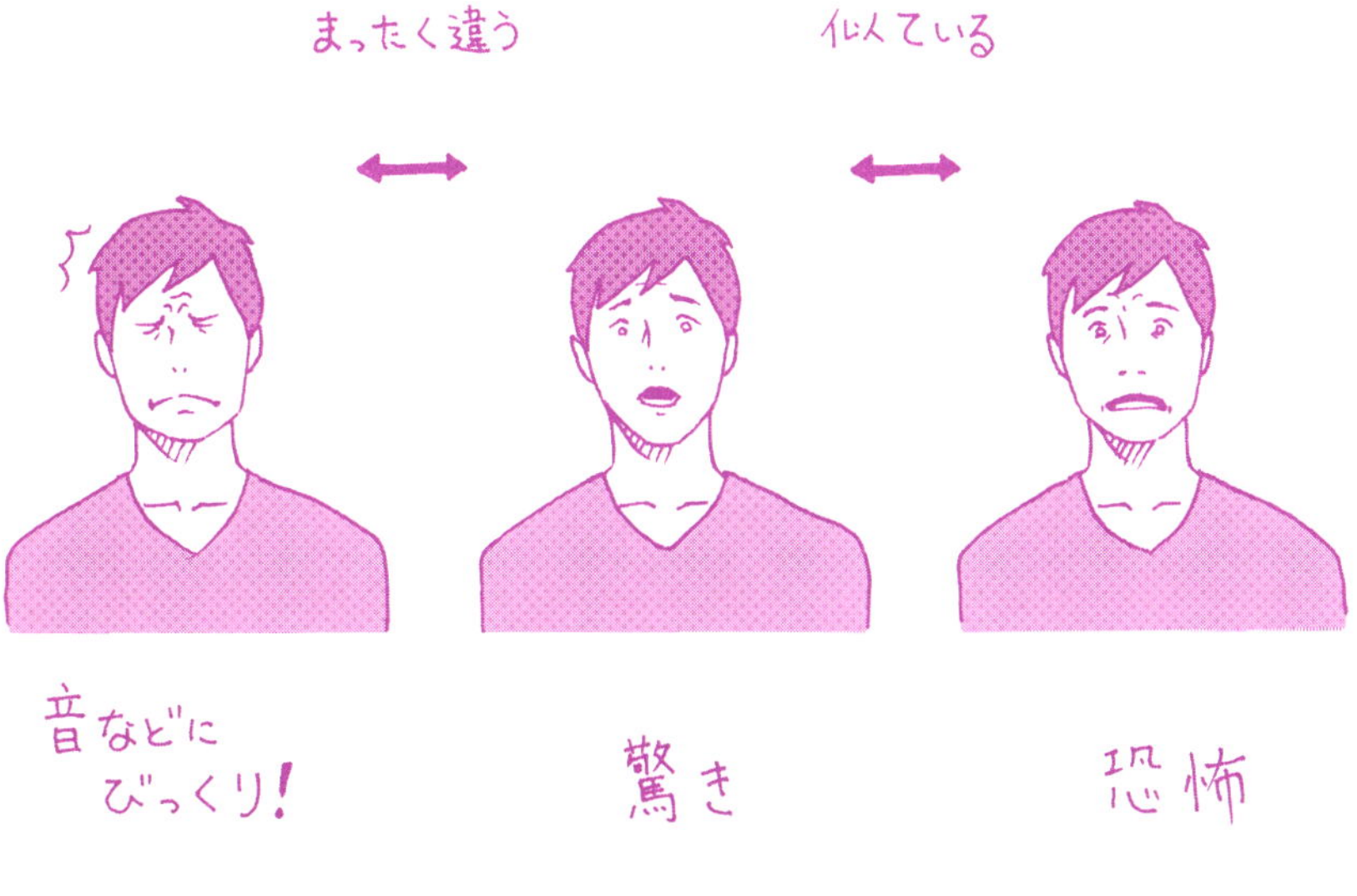

ていますので、見分けに注意が必要です。驚きと同様に眉が上がりますが、**眉間が少し寄り、眉の形はまっすぐのまま**です。また上まぶたは上がり、下まぶたは緩みます。口は水平に伸びたり、口だけが、軽くゆがむという場合もあります。

③「軽蔑」の表情には要注意！

軽蔑の表情は、嫌悪の表情と非常に似ています。軽蔑の表情は、顔の半分だけが変化し、口角がこわばり軽く上がるという特徴があります。また、顎が少し上向きになったり、目が細くなったりします。

④「怒り」の表情は作ることも簡単!?

怒りの表情を見分けるためには、額や目、口に注目してみましょう。**額にはしわがよらず、眉が下がり、眉間に縦じわが入ることが多い**ようです。また視線はとても鋭くなりますが、目を細めるというのは何かに集中している場合にも起こる動きですので、同時に口元を観察する必要があります。

下あごは前に出て、唇はぎゅっと閉じています。しかし、唇を閉じているだけならこれも意識を集中しているだけの可能性があります。重い物を持ち上げているときも同様の動きが起こります。

もし、**相手の眉だけが動いたら、その人は怒りを隠そうとしているか、びっくりしてそれに意識を集中しているか**のどちらかの感情が考えられます。

怒りで動く顔面の筋肉は動かしやすいので、怒っているふりをすることも簡単です。言葉や言動も合わせて判断しましょう。

⑤「嫌悪」の表情は、「怒り」の表情に似ている

嫌悪の表情とは、気持ち悪いものを見たり、嫌いなものを食べたりすると出る表情です。**必ず鼻にしわが入り、上唇が引っ張られます**。それに伴って下唇が引っ張られたり、前に出ることもあります。嫌悪の度合いが強いほど顔の下半分にしわがたくさん入ります。また、眉が下がることもあります。これは、怒りの表情と間違えやすいので注意しましょう。

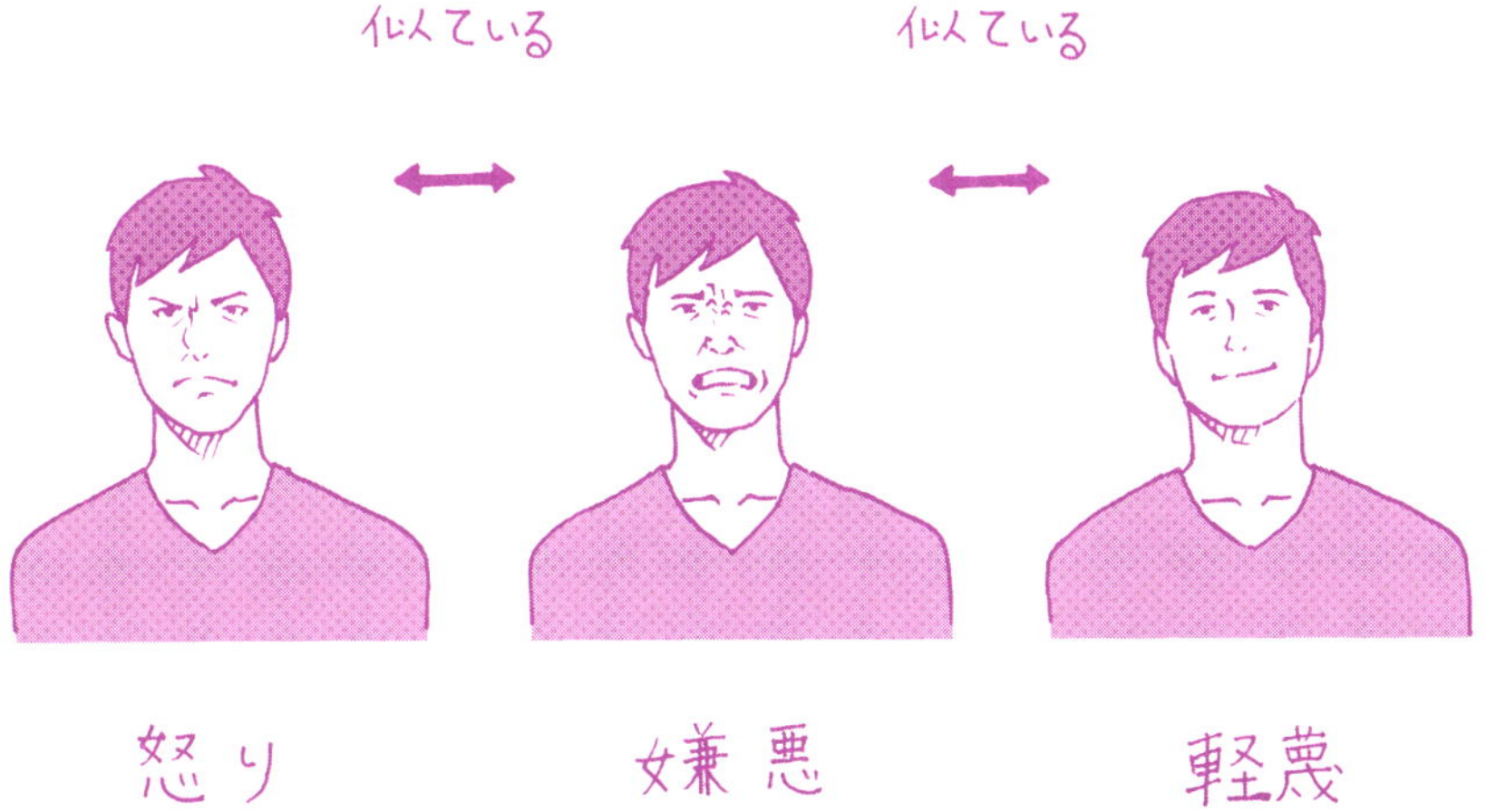

嫌悪の表情は口や鼻の周りに表れることが多く、これも動かしやすい筋肉なので、気持ち悪がった顔をすることも、逆に嫌悪を隠すことも簡単だといえます。

⑥「絶望」の表情はわかりやすい

落胆や失望をすると、顔面の表情は**無気力になり動かなくなります**。眉の付け根は少し上がり気味になり、縦のしわが寄ります。視線は下向きで、口角が下がります。大きな悲しみの場合は、下まぶたも軽く引っ張られます。

⑦「つくり笑い」を見極める

最後に喜びの表情の特徴を紹介します。喜びの表情とは笑顔ですが、本物の笑顔とつくり笑いを見分けるためには、**目が笑っているかどうかで判断する**ことができます。つくり笑いと本物の笑顔の違いを初めて研究したフランスの学者ギヨーム＝バンジャマン・デュシェンヌは、笑顔に使われる大頬骨筋《だいきょうこつきん》という口角を頬骨まで引き上げる筋肉と、頬を引き上げる眼輪筋《がんりんきん》という筋肉を発見しました。これらの筋肉の動きによって大頬骨筋《だいきょうこつきん》が動く時間は、つくり笑いより本物の笑顔のほうが短いことがわかったのです。つまり、**長時間続く笑顔はつくり笑いの可能性が高くなる**ということです。

心理の鍵を握るのは一瞬だけ表れる「微細な表情」

これらの普遍的な表情は、本能的に認識できるものですから、笑顔を見れば、相手が「楽しいと感じている」と認識することになります。

しかし、この論理を提唱したエクマンによれば、数多くの表情のなかにも**「微細な表情」**というものが存在し、ここに**本心がはっきりと表れる**と説明しています。

人は感情を隠そうとしてニュートラルな表情を保とうとしても、一瞬なにかしらの表情が表れてしまいます。これが「微細な表情」と呼ばれるものです。この「微細な表情」は、本人も気付かない無意識の反射反応で、大抵は顔全体に表れますが、一部にしか表れない場合もあります。表れる時間も0・2秒程度と極端に短いのが特徴です。一瞬の出来事ですので、注意して観察していなければすぐに見逃してしまうでしょう。ですから、この「微細な表情」をしっかりと

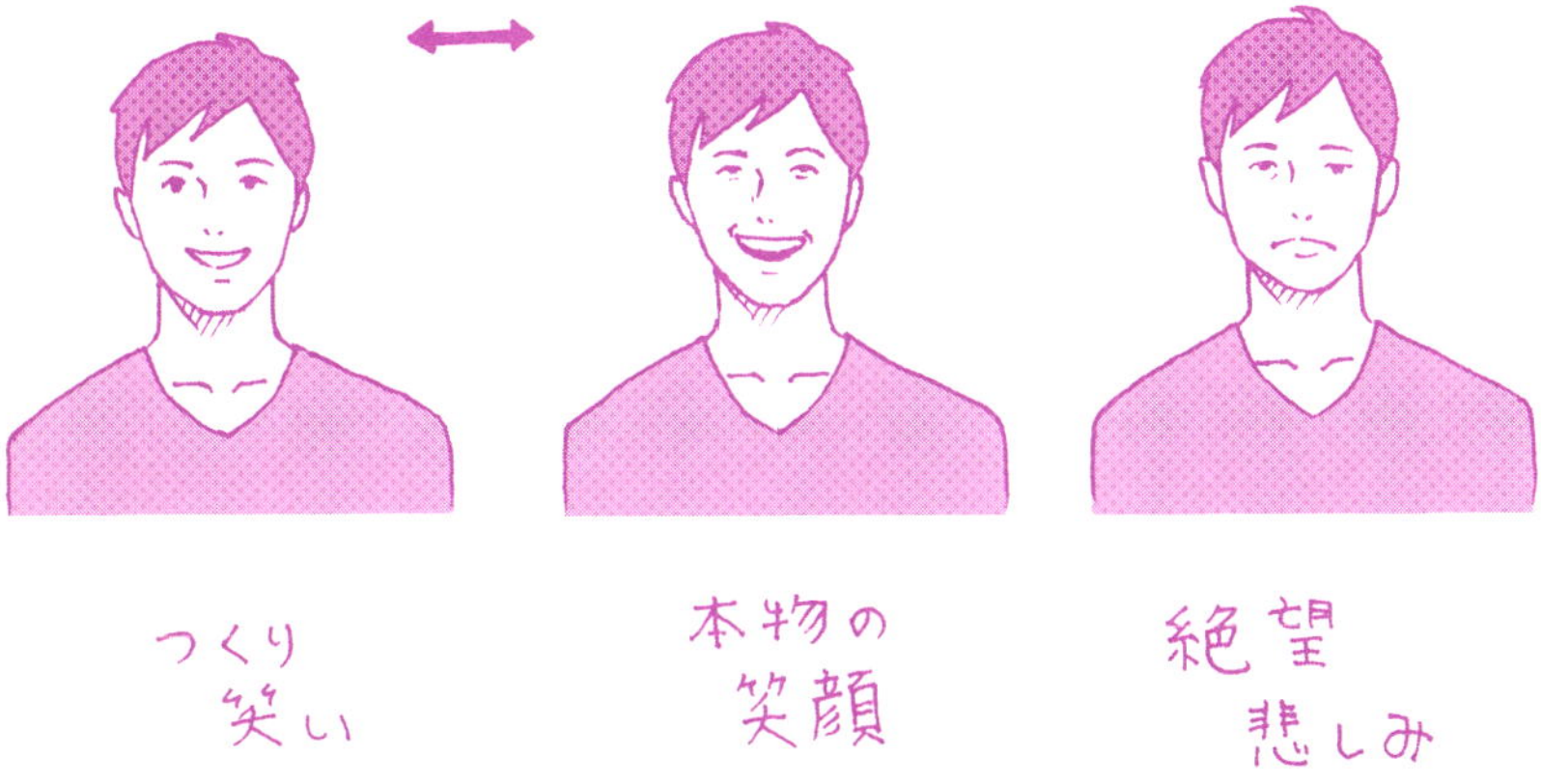

キャッチし、読み解くことが相手の感情を読み取るための一番のヒントとなるのです。

そもそも**感情が表情となって表れる平均時間は、約2秒間**といわれています。1秒間に達しない場合もあれば、4秒間続くこともあり、長く表れた場合ほど、感情が強いということになります。また微細な表情は、左右非対称に表れるということもわかっています。もし、ある表情が長く表れて特徴がない場合は、感情を抑えている可能性が高いということになります。

この「微細な表情」のほかにも、よくある表情として**「部分的な表情」「かすかな表情」「代理の表情」**などがあります。「部分的な表情」「かすかな表情」は、感情を隠そうとして表情が顔の一部にしか出なかったり、感情が弱いためにほんの少しの間しか表れない表情のことを指します。自分では気付かないほどの小さな怒りが、次第にわき上がってきたときなどはかすかな表情となって表れ、気付いてそれを隠そうとすることでまた表情が消えてしまうといった場合がこれに当てはまります。

また、「代理の表情」とは、相手の話に同調を示すために表す〝作り物〟の表情を指します。例えば、相手の愚痴を聞いたときに、嫌悪の顔をしてみせることがあるでしょう。これは同調の表情を見せ、「あなたの味方です」ということを相手に伝えているのです。

コミュニケーションに欠かせない「社会的知性」とは

皆さんは「社会的知性」という言葉をご存知でしょうか。これは、コミュニケーションをしていく上で必要不可欠な能力のひとつで、**表情や視線、しぐさなどから周囲の人の関係性や意図を読み取る力**のことです。

この「社会的知性」は毎日無意識のうちに使われているもので、この能力がなければ、人との円滑なコミュニケーションや人間関係を築くことが難しくなり、社会生活は成り立ちません。具体的には、友人や仕事仲間、家族など、様々な繋がりが存在するなかで、人はその相手や状況ごとに関係性を判断し、状況に適応することでコミュニケーションを取っているのです。

この関係性を見抜くという社会的知性のひとつに、**二者間の親密度を判断する能力**があります。心理学者のD・アーチャーの著書『ボディ・ランゲージ解読法』のなかで、この親密度を判断するための実験結果が記されています。

この実験では、被験者に「男性が女性の首に手をまわし、頬にキスをしている」という写真を見せ、このふたりが本物の夫婦であるかどうか判断してもらいました。すると、被験者はこの写真の男性の手の位置を見て、本物の夫婦ではないと判断したのです。これは、女性の肩に回している男性の手の角度が浅く、手や腕の形が不自然になっていることから親しくない人に触れていると判断したからです。

このように人は社会的知性を働かせ、相手の関係性を判断し適正と思われる対応を導き出すことで、円滑なコミュニケーションを図れるようになるのです。

では、この社会的知性をより高い能力とするために、前出の「表情」に加えて、**感情によって表れる「しぐさ」の特徴**について学習していきましょう。しぐさには、視線や身振り手振り、脚や首、口の動きなど、体の様々な部分に表れる動作があります。部位ごとのしぐさからわかる感情を順を追って見ていきます。

「目」は口ほどにものを言う⁉

「目は口ほどにものを言う」とはよく言いますが、まさにそのとおりで、心理学では**視線の動きや目つき、瞳孔の大きさなどから、相手の「思考」や「感情」をある程度読み取る**ことができるとする説もあるのです。視線は、表情と同様にある程度コントロールできますが、やはり無意識の目線の動きというものがあり、これをキャッチすることができれば、相手の心理を知るヒントとなるでしょう。視線の動きひとつとっても様々な意味がありますから、視線だけでなく、表情や言葉、そのほかのしぐさもしっかりと観察し、複合的に相手の心理を判断していく必要があるでしょう。

視線の動きから心理状態がわかる「アイアクセシング・キュー」

そこでまずは、「視線の動き」からわかる思考について紹介していきます。

人は目の前で起きた物事や刺激を、視覚、聴覚、嗅覚、触覚、味覚の五感から脳へ取り入れ、思考を通して処理し、これまでの経験や知覚と照らし合わせて反応を示しています。

これらの考えは、心理学セラピストのリチャード・バンドラーと言語学者ジョン・グリンダーが提唱した「神経言語プログラミング」（ＮＬＰ）という学説によるものです。

この学説のなかで、目の前で起きた出来事を思考で処理をするときに、何を考えているかによって視線の方向が決まっているという「アイアクセシング・キュー」という考え方が紹介されています。これは、**「視覚」「聴覚」「感覚」などの五感を通して処理される過程で視線の動きが変化する**というものです。これを知ることで、相手が視覚的イメージを思い浮かべているか、音を聞いているのか、何を感じているのかがわかるのです。

また、五感のうち、**どの感覚を使って処理をするかという割合は人によって異なり、そこに差異が生じることでさらに視線の変化も生じてくることになります**。それでは、視線の動く方向とそれにともなう五感について詳しく説明していきます。

①視線が上、左上、右上に動く場合

視覚的イメージを思い浮かべているとき、視線は上へ動くとされています。さらにその方向が、あなたから見て右上であれば「思い出している」ことになり、左上であれば「考え出そうとしている」と思ってよいでしょう。

例えば、相手が昨日のネクタイの色を思い浮かべたとすれば、色は視覚で処理するものですから、相手の視線はあなたから見て右上へ向くはずです。一方、欲しいネクタイの色を考えているならば、向かって左上を向きます。

これらの傾向から、視線の動きは相手が嘘をついているかどうかを知る手がかりになります。例えば、相手に昨日訪れた場所について質問をして、もし**視線があなたから見て左上へ動いたとすれば、「思い出そうとしている」のではなく、「考えだそうとしている」ということになり、嘘をついている可能性が高い**といえます。また、単純に目が泳いでいたり、まばたきが激しくなった場合は動揺している証拠ですから、嘘をついている確率が高いでしょう。

②視線が水平に右、水平に左に動く場合

　音や声のような聴覚的イメージに関連することを考えているときは、目線は真横に動きがち。ここでも視線が右か左に動くかで「思い出している」のか「考え出そうとしている」のかがわかります。例えば、**上司の声を思い浮かべたとすれば、あなたから見て水平に右に向くはずです。**一方、近い将来部署に移動してくる**新人の声を想像しているなら、**

左上
先週の土曜は
友人Aと飲みに
行っていたことに
しよう…

右上
先週の土曜は
確か友人Bと
ボーリングをして
いたっけ…

あなたから見て水平に左を向くことになります。

③視線が左下に動く場合

感覚や感情、（自分の体に触れた）触覚を思い浮かべる場合、視線は向かって左下へ動くはずです。「昨日のお風呂のお湯の温度は、熱かった？　ぬるかった？」「賞を受賞したとき、どんな気持ちだった？」「いま靴のなかの足先はどんな感触がする？」などの質問をしてみればわかるはずです。

視線の交わりからわかる深層心理

会話の最中に視線を合わせる時間や回数などは、**そのときの感情や本人の性格、相手との関係性に影響**されます。恋人同士や家族など親しい関係性であれば、視線の交わりについて過剰に意識することはほとんどないといえますが、一方で初対面の相手や仕事でしか接しないような関係であれば、この視線の交わりが関係性を計るバロメーターとなってくるでしょう。

もし、相手が視線をそらさずにずっとあなたを見てきたとしたら、**相手はあなたに警戒心を抱いているか、挑戦的な感情を抱いている**可能性があります。なぜなら目線を合わせることが苦手な日本人にとって、これは不自然なしぐさだからです。

また、話を信じてほしい場合にも相手の目を真剣に見る傾向にあります。しかし、意識的に相手をだまそうとする場合にも、このしぐさを真似て目線をしっかりと合わせてくる場合があります。詐欺師などが、相手を騙すために過剰に嘘を隠そうとして、相手を真顔で覗き込んだりすることがあるのはこのためです。

逆に相手がまったく視線を合わせてこない場合は、**話自体に興味がなかったり、あなたに対して否定的な感情を抱いている**のかもしれません。また、すぐに視線をそらしたり、相手を横目で見たりする場合は、軽蔑や嫌悪を感じている可能性が高いでしょう。

コミュニケーションをする上で**理想といえる目線の交わりは、適度にそらしながらも目線をちゃんと合わせること**です。

このほかに、性格によっても相手と視線を交える程度に違いが生じてきます。会話の途中で積極的に相手と目を合わせようとする人は、前出の相手に対する感情とは別に、**できるだけ多くの人とより親密になりたい**という外交的な性格からくるものと考えられます。

しかし、寂しがり屋で相手とより親しくなりたいという**「親和欲求」**の強い人も、相手となるべく目を合わせようとする傾向があります。逆に、会話中ほとんど相手と目を合わせないという人は、気が弱く、人と向き合うことに臆病で、コンプレックスを強く持った人だといえるでしょう。

日本人男性は女性と目線を合わせたがらない!?

心理学者のケンドンとクックの研究によると、一般に**女性は男性よりも、人に対して多く視線を向ける**と説明されています。同性間においては、男性同士よりも圧倒的に女性同士の視線の交わりが多いでしょう。

男女間になると、この視線の交わりが減少しますが、やはり**女性のほうが男性に対して多く視線を向ける**とされています。よく女性に見つめられ、自分に好意があるのかもしれないと思う男性がいるようですが、女性の視線については無意識なことが多いですから、深い意味はないと考えたほうがよいでしょう。

また、心理学者の大坊郁夫氏は「日本人の男女間において、男性は女性を性的な違いから特別に意識しすぎることで、率直に関心を示すことができない」と指摘しています。例えば、男女3人で会話をしているときに、一人の異性があなたのことを見ずに、もう一人の相手ばかり見て話をしているとします。それを見てあなたはその異性に嫌われていると感じるかもしれませんが、実はその逆のことが考えられます。つまり、**あなたに興味があるからこそ、それを隠そうとして視線を外す**傾向があるということです。

また、心理学者のマイケル・アーガイルとハリー・インガムの研究では、会話をしているときに、**発言者よりも聞いている側のほうがよく相手に視線を向ける**こともわかっています。これは、発話するほうは考えをまとめることに集中するため、視線を向ける量が少なくなるからです。

プレゼンや商談では、複数を人を相手にする場合が多く、発言内容にも気を使いますから、自分の視線にまで意識が行き届かないものです。しかし、説得力を持たせたい場合は、なるべく一人ずつ適度に視線を合わせて話していくことが、成功の秘訣です。

このように、相手との関係性や本人の性格、そのときの感情などによって様々な視線の動きが生じてきます。そこから判断することは難しいと感じるかもしれませんが、表情やほかの部位のしぐさなどと合わせて複合的に判断していくことがポイントになります。

瞳孔の開き具合で相手の心が読める

ある実験で、男女の被験者に「赤ちゃんの写真」、「異性のヌード写真」、「同性のヌード写真」、「風景写真」の4枚を見せたところ、異性のヌード写真を見たときに被験者の瞳孔が20％大きくなったという結果があります。

これは「瞳孔の広がり」における研究の第一人者であるアメリカの心理学者エッカード・ヘスによる実験で、人は**興味のあるものや心地よいと感じるものを見ることで、瞳孔が大きく開く**ということが指摘されています。つまり瞳孔の大きさによって、相手がその物事に対して本当に興味があるかどうかを知ることができるというのです。

よく目の大きな女性がモテるといわれます。これは、目が大きいことで幼児の顔を連想し、守ってあげたいという衝動を引き起こさせるためといわれていますが、**瞳孔が開いている表情も目が大きい効果と同様に相手に好印象を与えます**。

また別の実験では、若い男性に女性の瞳孔を拡大した写真と縮小した写真の2枚を見せたところ、多くの男性が、瞳孔の大きな女性を「女性的でかわいい」と答え、瞳孔が縮小した写真に対して「利己的で冷たい」という印象を抱いたのです。

これらの結果からまとめると、**女性だけでなく男性でも瞳孔が大きい表情は人からいきいきと輝いて見られ、好印象を与える**ということがわかります。

そもそも瞳孔の動きはコントロールできるものではありませんから、相手の心理を見抜く大きなヒントになるのです。もし瞳孔の大きさを確認できなかったとしても、例えば、相手の目が大きく輝いているように見えたら、あなたのことや話をもっと知りたいという好意的なサインの表れでもあります。本当の好意を抱いていると考えても決して間違いではないでしょう。

感情はまず「口元」に表れる

皆さんは、口元がゆるんでいる人と、しっかりと唇を閉じて口角が上がっている人のどちらの表情が好きですか？　口元の表情で、その人の印象はだいぶ変わってくるものです。

口元がゆるんでぼうっと開いているような人はだらしない印象を周囲に与え、**きりりと口を閉じている人は知的で緊張感に溢れた人という印象**を与えます。

高度経済成長以降に生まれた20～30代の若い世代は、食生活の変化により、固いものを食べる機会が減っているため、アゴの筋肉が発達しておらず、口元をしっかりと閉じられない人が増えているようです。これまで口元の表情についてあまり気にかけていなかったという人は、とくに仕事場においては普段から意識して口元をきりりと見せるように心掛けたほうがいいでしょう。

よく唇をぎゅっと噛んだり、口元をゆがめるような表情をしている人は、何かを我慢していたり、不快感を感じていると思われます。また悔しい思いをしているという可能性もあります。

人は**我慢をしていたり、緊張した心理状態にあると、口元の筋肉がこわばる傾向がある**のです。普段から口元がゆるんでいる人が緊張感のない印象を与えるのはこのためでしょう。

一方で、相手と会話をしているときに**口を固く閉じたままにしていると拒絶のサインとして受け取られてしまう**可能性があります。円滑なコミュニケーションを図るうえでは、笑ったり驚くなどして口元を適度にゆるめ、表情を持たせることが大切になってくるのです。

ほかにも、舌をぺろっと出すしぐさは拒絶を示していたり、何かに集中しているときに邪魔をされたくないと思っている表れともいわれています。

逆に唇をなめるのは肯定のサインです。相手があなたの話を聞きながらさり気なく唇をなめたら、話に興味があると思ってよいでしょう。

もうひとつ、口の動きと「笑顔」の関係性についての興味深い話があります。心理学者のアジールは、人と親しくなるためには相手との距離の取り方や、視線、会話の内容が重要であり、そこで「笑顔」も非常に大切な要素になってくると指摘しています。

コミュニケーションにおいて、もし相手がつくり笑いをしているとわかったら、自分に対しての感情がわからなくなり、相手に対する信頼感は一気になくなってしまうことでしょう。ですから、相手の「笑顔」を観察して本当に自分や自分の話に対して好意を持ってくれているかどうかを見抜くことも、コミュニケーションを円滑にするための重要なポイントとなってくるのです。

「表情」の項目でもつくり笑いを見抜くための方法として、大頬骨筋《だいきょうこつきん》が動く時間の長短で判別できると記しました。ここでは、「口の動き」でつくり笑いかどうかがわかる方法をご紹介します。

そもそも、**人が本当に笑うときというのは、はじめに口元がゆるんできて、その後から目が遅れて動く**ものなのです。ところが、つくり笑いというのは、口と目が同時に動く傾向があります。これはつくり笑いの判別法として非常にわかりやすいテクニックなので、ぜひ活用してみましょう。

本当におもしろくて大きな笑いをするときというのは、笑顔だけでなく涙が出たり、体も揺れるものですから、愛想笑いではなく、本当の笑いかどうかはすぐにわかるものです。

手や腕の位置からわかる本当の心理とは

前出のD・アーチャーによる親密度の実験でも、親しくない人に触れる場合は手や腕の形が不自然になり、被験者もそれをはっきりと見抜いたことをご紹介しました。これは社会的なモラルとして、親密な関係でない限り相手に触れてはいけないという思考が働いた結果なのです。このことからもわかるように**腕や手にはとくに強く感情からの反応が表れます**。

体のなかでも表情はある程度コントロールできますが、腕や手はどうしても反射的な反応を示してしまうものですから、相手の心のうちを読み取るには非常に有力な手がかりとなるはずです。

心理学用語で**「自己親密行動」**という言葉があります。これは、**自分の手で自分の体や髪を触ることで不安や緊張、葛藤、不満などを落ち着かせようとする行動**です。もし話相手が頻繁にこの「自己親密行動」をとっていたら、あなたの態度や話し方などに何かしらのマイナス感情を感じている可能性がありますから、気をつけたほうがいいでしょう。

そもそも「自己親密行動」とは、幼少期に親から頭をなでてもらった安心感を自分自身で再現している行動でもあります。自己親密行動が多い人は、甘えん坊で依存心が高い人だと推測することができます。

よく見かけるしぐさのひとつである「腕組み」も自己親密行動になります。心理学者のマイケル・アーガイルは、腕、脚、胴体の姿勢に表れる感情的特徴を挙げていて、とくに、**腕は「自己保身」と関係する傾向がある**と提唱しています。

なかでも体を抱え込んだしぐさは自己防衛の表れであり、**腕組みをするということは、なにかしらの不**

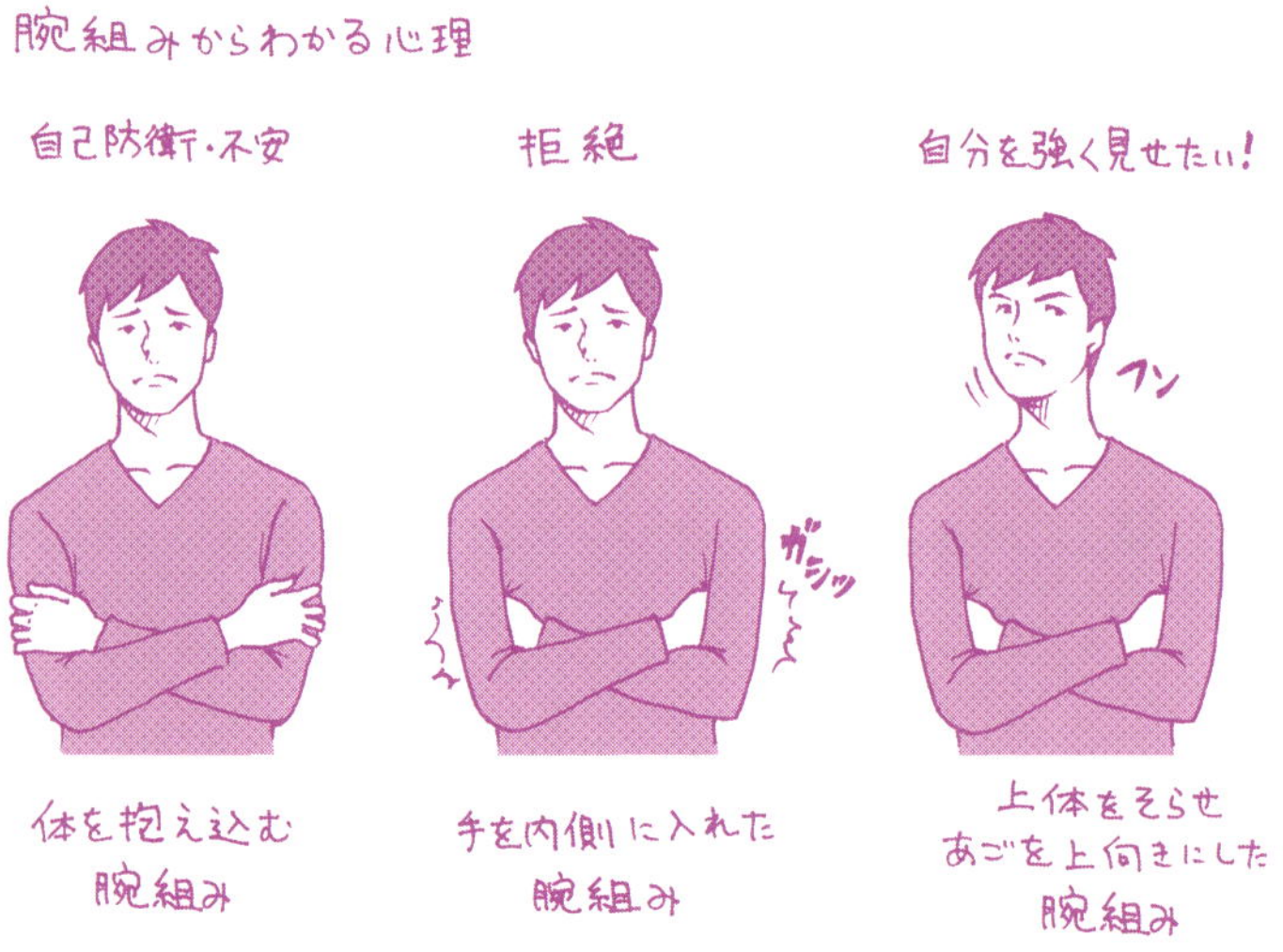

安を抱えている証拠だと考えられます。もしも、腕組みの際に手を内側に入れてがっちりと組んでいたら、相手を完全に拒否しているのかもしれません。

一方で**自分を強く見せたいという思いから、腕組みをしている**こともあります。この場合は、上体をそらせ、あごを上向きにして相手を見下しているような印象を与えるポーズになっているものです。

無意識のうちに表れる「手先の動き」を見逃すな！

手先の動きにも様々な心理状態が表れます。話を聞いている相手が指先でトントンと机や椅子を叩いていたら、無意識に相手の話を妨害し、早く話を切り上げてほしいと思っていると考えられます。

また、手のひらを相手に見せることは**相手に気を許してリラックスしている、または相手に同意して親近感を抱いている**証拠。逆に拳を体の前で固く握っていたら相手を拒絶しているサインで、怒りを感じていたり、不快感を抱いている可能性が高いです。机の上のものをずっと触ったり、動かすという行動も、相手や相手の話を拒絶している可能性が高いと考えられます。

ほかにも鼻の下に手をあてたり、鼻をこするようなしぐさをした場合は、相手の話を疑っていると想定されますし、あごをさすっていたら相手の話に同意して感心していると思ってよいでしょう。

唇に触れることの多い人は、**甘えん坊で自立心が弱い傾向**があります。これがエスカレートすると爪を噛むなどの行為に発展することもあります。

よく男性がポケットに手を入れているところを見かけます。もし、相手があなたと対面しているときに、手をポケットに入れて物をいじっていたら、嘘をついている可能性が非常に高いといえます。嘘をついたり、緊張すると手が震えたり汗をかいたりしますから、それを無意識に隠そうとしているのです。

また、**身振り手振りが大きい人は自己陶酔型**かもしれません。話している最中にこのしぐさが出たならば、あなたを楽しませるために話を誇張している可能性があります。

このように、手や腕をどこに置くか、どのような状態なのかで周囲への印象は変わってきます。しかし、心理は体の一部分の動きだけで断定できるものではありません。姿勢や表情、腕、脚などの様子を複合的に見て判断する必要があります。

興味の方向は「足先の向き」に表れる

人は表情やしぐさをコントロールしようと意識していますが、**頭から遠い体の部分ほど、その意識は行き届きにくく、無意識の感情や思考の反応が出てしまう**ものです。ですから、足元のしぐさに注目することは相手の心理を知る大きなヒントとなります。

心理学者のマイケル・アーガイルは、脚の動きからわかる感情の特徴として**「異性への関心」**があると指摘しています。例えば、女性が膝のところで脚を組んでいたら自己防衛の意識があることになるのですが、わざとらしい脚組みや平行状態の脚というのは異性を誘惑したいという気持ちの表れであるというのです。

女性が何度も脚を組み替えるような動きも、やはり誘惑的なしぐさであると考えられます。打ち合わせや会議などで、脚を組んだまま相手の話を聞いたり、コミュニケーションを取っている人がいますが、女性に限らず男性においても脚組はビジネスシーンにふさわしいしぐさとはいえませんから、控えたほうがいいでしょう。

アメリカの心理学者ブレイザーは研究実験において、面接場面における1000人の女性の脚の組み方を観察したところ、脚の組み方とパーソナリティーに関連性があるという実験結果を示しています。例えば、膝を閉じて脚をまっすぐに並べている女性は秩序欲求が強い人で、膝下を交差させている女性は、親和欲求や養育欲求が強いタイプであるなど、全10種類のタイプが挙げられています。

電車のなかなどで、おおっぴらに脚を組んで他人の迷惑になるような態度の人を見かけますが、この場合、自己顕示欲の表れであったり、自己中心的なタイプの人間ということが考えられます。

また、**脚の開き具合で相手への信頼度がわかります**。固く閉じていれば、緊張や不安を感じている証拠で、自然に軽く開いて座っているなら、相手に安心感を覚えてリラックスしている状態であるといえるでしょう。もし、脚を投げ出して大きく開いていたら相手を見下したり、その人自身が自己中心的で傲慢な性格の持ち主だと考えられます。

コミュニケーションの場において、**足先がどちらに向いているかが、その人の意識の方向を知るヒントになる**ことがあります。もし、話している相手の足先があなたの方向を向いていれば、あなたの話に興味を持っていることになりますが、もし足先が別の方向を向いていたとしたら、あなたから離れたい、または話に興味がなくその場を去りたいと思っている可能性があります。

その他、心理を表す脚の動きで代表的なのが貧乏ゆすりです。これは、**落ち着かない心理状態であるか、または不快感、不安感を非常に強く感じている**と考えられます。会話をしている相手が脚を揺すっていたら、あなたの話をもう聞きたくない、または早く帰りたいと思っているのかもしれません。

もし、無意識のうちに癖で貧乏ゆすりをしてしまっているとすれば、周囲にも決してよい印象を与えないので、ビジネスの場では控えましょう。

「身振り」「姿勢」はふたりの関係性を表わすサイン

心理学者のマイケル・アーガイルは、**「胴体の動きは不安の感情と結びつく傾向がある」**と指摘しています。これは、例えば男性のこわばった固い姿勢や女性のすましたまっすぐな姿勢が、自由のない束縛的な不安を感じている状態を表したり、体を上下に動かしたり、落ち着きのない場合は、無力感や誰かに助けを求めている状態であるというものです。

自然に背筋よく美しく座っている人は、やはり心のうちも落ち着いて見えるものです。自分がどういう姿勢をしているかということも常に意識しておくべきでしょう。

また、アメリカの心理学者のアルバート・メラビアンが提唱する「メラビアンの法則」によると、**姿勢は社会的地位と関連する**と説明されています。これは地位の高い相手に対し圧迫感を感じている場合、腕や脚が広がり気味になり、姿勢は前屈みになります。手足は強ばってよく動かすようになるというものです。

逆に、地位の高い人は相手に対して、後傾姿勢になりがちなようです。実際に、偉い人というのはふんぞりかえっている印象があります。二者間の姿勢を見ただけで、その関係性がわかってしまうこともあるわけです。

前傾姿勢は「特別な関心」を持っている表れ

「話を聞く姿勢」には、非常にわかりやすい反応が出るものです。もし、あなたの話を聞いている相手が、**前傾姿勢で身を乗り出していたら、興味を持って真剣に話を聞いてくれている**と思ってよいでしょう。そのとき、胴体の動きに伴って、足元はきっと90度より内側に曲げられているはずです。

では、聞いている相手の体が椅子の背もたれに反り返り、足を前方に投げ出していたらどうでしょうか。これは、あなたの話に退屈しているか、話を聞きたくないと思っていると考えられます。さらに、姿勢を左右に傾けてほおづえをついていたら、あなたの話に納得していない可能性が高いでしょう。

このことは1972年に行われたアメリカの心理学者であるアルバート・メラビアンによる実験でも証明されています。学校の授業において、教師が期待している生徒に対して質問するときは前屈みになるという結果が出たのです。

つまり、**体の前傾角度に「話を聞きたいかどうか」の度合いが比例してくる**のです。上司や仕事相手が、あなたの話にどれほど興味を持っているのかはこの姿勢を見れば一目瞭然というわけです。もし、前傾の角度が十分でなければ、自分の話が相手にとって魅力あるものとなっているかどうか考え直す必要があるでしょう。

首の角度に要注意！　あなたを軽蔑しているかも？

頸動脈《けいどうみゃく》のある「首」は、動物にとって弱点となる部分です。この弱点である首やお腹を見せるということは、その相手を信頼しているか、または降参したことを伝えるためのどちらかとなります。

動物である人間も、頭を傾けて首を見せるしぐさをしたら**「相手を信頼している」か、威圧感**

を感じる相手に「従います」という意思表示をしているかの2通りの解釈をすることができます。首を傾げたポーズというのはどこか無防備な印象があるのはこのためです。また、これは気の弱い人や腰の低い人がするポーズであり、自分の言ったことに自信がなく、**相手の機嫌をとっているしぐさ**ともいえます。

よく色気のある女性が首を少し傾けて横目で男性を見たりします。これは、自分の弱点をあえて見せることで、相手にあなたを信頼していると伝え、無意識のうちに男性を誘っているのです。

逆に、頭を前に傾けて首を隠すしぐさをした場合は、**相手を警戒し、不安を感じて無意識に防御の体勢**になっていると考えられます。話しているときに、相手がこのしぐさをしたら、あなたの話を理解できないでいることの表れかもしれません。アゴを引いたまま相手をじっと見るしぐさも、否定的で挑発的な心理の表れです。

また、**首を後ろに倒して喉仏を見せてあごを上げ**

後傾姿勢
俺は偉いんだ！
前傾姿勢
機嫌を損ねないようにしなきゃ…

るしぐさは、相手を見下している証拠。これは、弱点をあえて見せることで恐るるに足りない相手だと思っていることを伝えるための動きになります。喧嘩をする前などに、相手に対してこのようなしぐさが見られるのはこのためです。

つまり、アゴを上げれば相手を威嚇することになり、頭を低くしてアゴを引けば謙虚で腰の低い印象となるわけです。

コミュニケーションにおいては、相手を見下しているようなしぐさや表情はかなりの悪印象を与えてしまいます。頭やアゴのちょっとした角度だけでも人の心理を知ることができると覚えておきましょう。

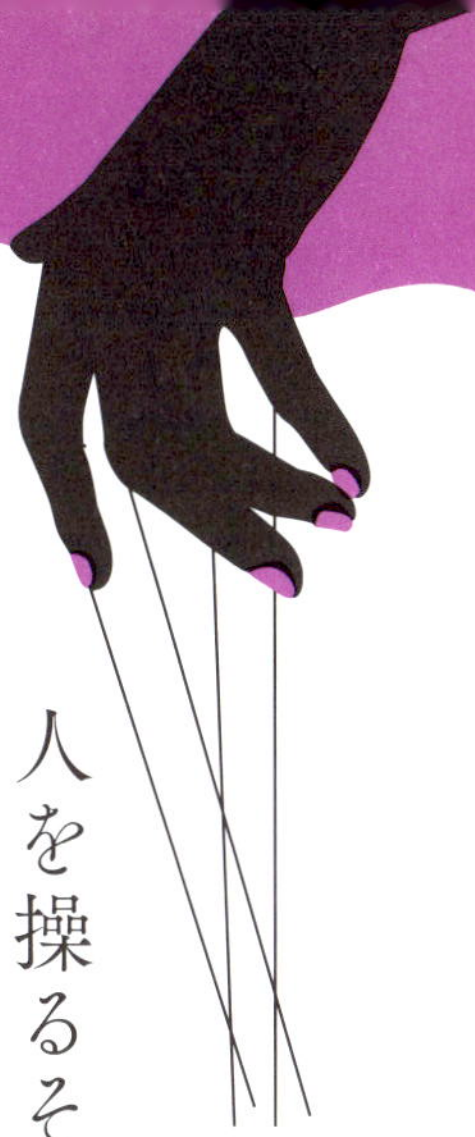

第3章

人を操るその前に…

行動に影響を与える8つの心の法則とは

人間の行動を決定している「行動原理」を知ろう

人間の行動には、いくつもの心理的な原則が存在し、私たちは毎日それに従って行動をしています。この原則を心理学の世界では、**「行動原理」**と呼んでいます。もし皆さんが、相手の行動を理解し、その相手と円滑なコミュニケーションを図るために、効果的に心理操作をしようと思った場合、この「行動原理」の理解が必要不可欠な知識となります。

そこで、この章ではその数ある行動原理のなかでも、行動を理解するための基本と思われるものを8項目ほどご紹介します。

その本題に入る前に、行動原理の大原則ともいえるものがありますので説明していきます。それは、人間に限らず地球上に存在するすべての生物が**「気持ちがいいか、不快であるか」という感覚で行動を決めている**ということです。

人間は生活していくなかで、飢えや渇きを癒やしたり、関心のある物事に没頭したり、好きな人と一緒にいたいと思うような「気持ちいい」と感じる行動を当然選ぼうとしますし、逆に飢えや渇き、退屈や疲れ、痛みなどの「不快感」を回避しようとします。これはどんな場面にも関係してくる大原則で、快(気持ちいい)・不快の気持ちを抜きにして人の行動を理解することはできません。

しかし一方で、人間は「社会という集団」のなかで生活しているため、単純に快・不快の判断基準だけで生きていくこともまた不可能です。多くの人との関係性や社会的規範などを保つために、様々な判断が必要となってきます。そして、その判断の源となる「行動原理」も多く存在するのです。

人間の行動は、これらの「行動原理」が複合的に絡み合った結果として行われているのです。

［利得最大の原理］人は自分の「得」になる行動を選択する

人は誰しも、自分にとって得になるようなことがあれば、それを最大限得られるようにしたいと思うものです。お金は可能な限りたくさん稼ぎたいし、結婚する相手はできるだけ美男美女がよく、魅力のある友達はたくさん増やしたい…そんな欲求は人類共通のものです。

もちろん、人のためになるならば、と自分が損をするような行動をする人がいるかもしれません。しかしこれは、その相手や周囲の人間からよく思われたいという欲求や、社会のなかで求められる人としての理想像に近づきたいなどといった、**様々な社会の規範から影響を受けた結果の行動**なのです。また、巡り巡ってそれが自分の得となるということがわかっているからかもしれません。

一方で、人は自分にとって損失となるようなことは最小限に留めたいと思う欲求があります。悪口を言われて喜ぶ人は、基本的にいないはずです。ですから人はなにかしらの行動をする際、得になると思われることを選択して行動に移すのです。これを心理学の世界では

「利得最大の原理」と呼んでいます。

この「利得最大の原理」は、人間のすべての行動に関わってくる欲求であり、これを抜きにして人間の行動を理解することは不可能といってよいでしょう。

［公平性原理］人間社会には「公平さ」が必要不可欠

この地球上には、古代の昔から様々な生物が存在し繁栄してきましたが、数千年前から人間が覇者として君臨し支配し続けています。人間は一個の個体としては非常に弱い存在でありながら、その他多く存在する力の強い肉食動物を統べる力を持つようになったのです。

これは古代から人間が「集団」で生きていくことを選択し協力し合うことで、ひとりではできないことを可能にしてきたからです。そしてこの集団はいくつもの「社会」となり、先人たちが残した多くの知恵を受け継ぐことでさらに発展してきました。

さきほど、行動の大原則として「利得最大の原理」があるという話をしました。しかし、**人間がこの社会集団のなかで生きていくためには、自分の利益だけを追求していくことは不可能**です。もし自分の利益だけを追求すれば、他者をだまして様々なものを得ようとするでしょう。すると当然その人間は集団から排除されてしまいます。これは長期的な目で見れば、自分が集団にいることで得られるはずの利益を失ってしまうことにもなるのです。

ですから、集団のなかで上手く生き抜いていくためには、社会的規範というものに従わなくてはなりません。そこで重要となってくるのが**「公平さ」**です。

社会集団を成立させていくためには、それぞれが得られる利益が公平になるように分配されなくてはなりません。もし不公平な分配が起こり、それが続いたとすれば、その集団のなかの人間関係はうまくいかなくなり、崩壊してしまうでしょう。報酬でいえば、たくさん働いた人はその分のたくさんの利益をもらう権利があり、逆に楽をした人はそれ相応の報酬をもらうということになります。

この**人間社会という集団に必要な行動原則を「公平性原理」**といいます。資本主義の日本では、「独占禁止法」という法律が存在しますが、これはひとりの人間やひとつの会社が利益を独占すると、そこに不満が集中し社会全体のバランスが崩れてしまうことを防ぐためのものです。

この「公平性原理」は、「利得最大の原理」と短期的には対立する原理ですが、長期的な利益の増大のために補い合う原理といえるでしょう。ともに人間が社会のなかで行動を選択していく上で重要な判断基準となるものです。

[返報性の原理]
人間は自分ひとりが得をしすぎると不快に思う

ここまで、人は社会のなかで生きていくために、自分の利益だけを追求したいという欲求を抑え、公平性を考えながら行動していかなくてはならないというお話をしてきました。

しかし、**仮に自分ひとりが利益を独占できる状況になったとしても、人はそれを心地よいと感じることができなくなる**のです。

この心理を証明するために、ある研究が行われました。恋愛関係にある二者の間で、一方的に様々な物を与えられた人間は与えてくる相手に対して、幸福感、満足感、罪悪感、怒りという4つのうちのどの感情を強く抱くようになるのか?という研究です。その結果わかったことが、一方的に物を与えられ、得をし続けた人は、「罪悪感」を強く感じるようになり、最終的には相手に対しての「怒り」も強くなってしまうというものです。

これは、人が相手から何かを与えられた場合には、お返しをしなくてはならないという「社会的規範」が個人のアイデンティティのなかに反映されているからだと考えられます。そして、お返しが不可能なほど多く得をしてしまうと、罪悪感と心苦しさを覚えるようになります。これを**「心理的負債」**といい、**お返しをしたいと思う心理を「返報性の原理」**と呼んでいます。

この「返報性の原理」は、実験で証明された恋愛関係だけにとどまらず、人間同士のすべての関係性にあてはまるもので、貨幣経済のない島の部族などの間でも物々交換という手段で実行されています。また、自らが破産しても「お返し」をするという文化圏が存在するほど、「返報性の原理」は、人間種族のなかに強く根付いている行動原理なのです。

ここまで説明してきた「利得最大の原理」「公平性の原理」「返報性の原理」という3つの原理は、**人間の行動の大原則**です。これを抜きにして人間社会が成り立つことは不可能といえるほど重要な要素となっています。

この他にも、判断基準となる行動原理が多く存在しますので、順を追って見ていきましょう。

［一貫性の原理］人間は一度決めたことは、損をしてもやり続ける

一度、「試験に挑戦する！」と宣言したのに、いざ勉強をはじめてみたらまったく手に負えない…。しかし、周囲にすぐに諦めたと言えばダメな人間だと思われてしまう。だから、仕方なく勉強を続ける、という人がいたとします。

このとき、その人のなかでは一度言ったことをすぐに変える意志の弱い人間だと周囲に思われたくないし、自分でも一度やり始めたことをすぐに諦めるのは納得できないと思うために、「一貫性のある行動」を取ろうとする心理が働いています。この行動を心理学用語では**「一貫性の原理」**と呼び、これも人間の行動を左右する重要な心理原則となっています。

そもそも人は、自分にとってマイナスの評価になることを嫌いますから、たとえ苦痛な勉強を続けて損をしても、高い評価を得たいと思うわけです。この自分を高く評価したいと思う心理は**「自己高揚欲求」**と呼ばれます。これは「一貫性の原理」とも連動した欲求といえるでしょう。これらの行動心理は結果的にすべて自分の得を考えてのものですから、根本的には「利得最大の原理」に基づいていることになります。

また、「一貫性」を保つことができずに、自分にとって重要なことに「自己矛盾」が起こってしまった場合にも、やはり人は不快感を覚えます。例えば、「健康を気遣いたいのに禁煙ができない」といった「自己矛盾」への不快感は**「認知的不協和」**と呼ばれ、不快感を解消するために様々な行動を取るようになります。また、一貫性を維持しなくてもよいと正当化してしまうこともあります。

次に自己矛盾の不快感を解消するための行動パターンを見ていきましょう。

●**行動を変える**＝タバコをやめる。これは、行動の矛盾を解消するために、行動そのものを変えることで一貫性を保とうとするパターン。

●**認知を変える**＝タバコをやめることができない場合。その一貫性のない行動を正当化しようと認識自体を変えるパターン。具体的には「世の中のすべての喫煙者が肺がんになっているわけじゃないから」「喫煙者にも長生きしている人がいるから」などの認識で、自分も禁煙する必要はないと考えます。

●**自分の行動を評価し直す**＝タバコをやめることができない場合。こちらも行動を正当化するために、自分の喫煙行動に対する評価を変えるパターン。具体的には「自分はヘビースモーカーではないから、発がん率は低いはずだ」と評価をし直したり、ニコチン量の少ない銘柄のタバコに変えようとしたりします。

このように、喫煙行動ひとつとっても、多くの要素が複雑に絡み合っていることがわかります。つまり、一貫性を保つという行動の裏には、様々な理由があり、自分の得になるように考えた結果であるといえます。しかし、冷静に考えてみれば自分のためになっていない場合もよくあるので、一度立ち止まって方向性を変えるという勇気を持つことも大切なことでしょう。

［類似性の原理］人は自分に似た相手に好意を持つ

人は自分と話が合う人や、同じ趣味を持つ人、物事の考え方が似ている人と一緒にいることで楽しいと感じたり、安心感を抱くものです。この心理の原則を**「類似性の原理」**といいます。

では、なぜ人は同じ価値観の人を好きになるのでしょうか？　それは、自分と同じ意見の相手と一緒にいることで、いつも自分自身を正しいと肯定していられるからです。もし、価値観の合わない相手と一緒にいれば、自分の意見や態度を否定される可能性が高くなり、自分が不快感を抱くリスクも大きくなるのです。

また、似た価値観の相手であれば、「自分がやりたいと思っていることなら、きっと相手もやりたいと思うはずだ」という予測が楽にできます。ですから、相手が何をしたいかなどと必死に考えたり、無理に相手に合わせる必要もなく、気楽に付き合うことができるというメリットがあるのです。

このような二者間の意見がお互いの関係性に及ぼす影響については、**「バランス理論」**と呼ばれるもので説明ができます。例えば、ふたりの間で重要な事柄について意見の不一致が起こると不快感が生じます。これを取り除くために**様々な動機付けを行おうとすること**を「バランス理論」と呼びます。

もし自分の嫌いなものを相手が好きな場合、なんとか自分がそれを好きになろうと努力します。また逆に自分の好きなものを相手が嫌いな場合は、相手にそれを好きになってもらおうとします。しかし、この調整作業がうまくいかないとふたりのバランスは崩れて、不快な関係になってしまうのです。

よく「似た者夫婦」などと言ったりしますが、お互いが好きなものを見たり、聞いたり、笑ったりしていると、顔面の筋肉が同じように発達し顔まで似てくることもあるのです。それだけ、同じ価値観を持つことは人間に大きな影響を及ぼすものだといえるでしょう。

［社会的証明の原理］多くの人がやっていることが、正しいと思えてくる

「行列が行列を呼ぶ」という言葉があります。これは、例えば飲食店の前に列ができていると、それを見た人たちもつられて行列に加わっていくという現象のことを指しているのですが、なぜ人は行列につられてしまうのでしょうか？

実は、人には**「多くの人がやっていることこそが正しい」と思ってしまう心理**があり、これを心理学では**「社会的証明の原理」**と呼んでいます。つまり、「多くの人が〝並ぶ〟という不快なコストを払ってまで入りたいと思うお店なんだから、おいしいに違いない」と判断しているのです。

この「社会的証明の原理」は、物事の正しさを判断するための基準となっているもので、とくに意見や主張、趣味や好みといった正解のない物事を判断する場合に強く働く心理です。そして、これもまた人間の行動を決定する大切な心理になります。

逆に、もし自分が正しいと確信していることでも、その他大勢の人が自分と違う意見を言えば不安になるという心理もあります。

心理学者のアッシュが、人は他者の意見にどれほど影響されるのかを調べる**「同調の心理」**に関する実験を行っています。この実験では、対象となる被験者が明らかな正解を確信していても、その被験者以外の全員が一致して間違った答えを選択した場合、被験者が影響を受けるかどうかが調査されました。すると被験者は、明らかに正解と思われる答えがわかっていても、その他の人々と同様の間違った解答をする人がかなりいたのです。

これらのことからも、人の判断は他者から大きな影響を受けているということがわかります。

［権威の原理］
人は権威のある人に強い影響を受ける

前項目で、人間は他者から大きな影響を受けているという話をしました。そのなかでも、とくに大きな影響力を持つのが、その人にとって**社会的に「権威」を持つ人物**です。この社会的な権威の影響力を、心理学では**「社会的勢力」**と呼びます。

この「社会的勢力」＝「権威を持っていると思われる人」とは、実際に高い社会的地位についている人物はもちろんのこと、その地位を象徴するようなステータスシンボルを持っている人物のことを指します。

例えば、オーダーメイドのスーツを着ていたり、高級車に乗っていたりなど、少しでも権威を感じさせるものがあれば、社会的勢力が強く働き、結果的に人は簡単にその人物のことを信じてしまうものなのです。

この心理を利用して権威を持たせることを**「権威づけ」**といいます。このような「権威づけ」は社会のなかで多く行われており、その権威に従ってしまう人も多くいるということを知っておいた方がいいでしょう。

心理学者のフレンチとイレブンは、この「社会的勢力」についての研究で、次の5つの影響力を挙げています。

3 行動に影響を与える8つの心の法則とは

①賞勢力…この人物に従うと「いいことがある」と思わせる影響力
②罰勢力…この人物に従わないと「罰や損失をこうむる」と思わせる影響力
③正当勢力…社会的な立場上、従うべきであると思わせる影響力
④専門勢力…専門家という立場に従おうと思わせる影響力
⑤参照勢力…魅力のある人物に憧れ、真似をしたいと思わせる影響力。CMで人気タレントを起用するのはこの影響力を利用しているからで、購買欲を刺激する狙いがある

その後、他の研究者たちから次のふたつの社会的勢力も提唱されています。

①情報勢力…メッセージに説得力があるから、従いたいと思わせる影響力
②魅力勢力…魅力がある人物だからといって、すべての人が真似をしたいと思うわけではないが、好意を持った人から頼まれれば従ってもいいと思わせる影響力

これらの様々な社会的影響力は、企業などの社会組織のなかでも当然のように利用されています。多くの人々は無意識のうちに、意図的に影響させられ、操られていることも多いということを理解しておきましょう。

［希少性の原理］

手に入りづらいものほど、手に入れたくなるという心理

コレクターの世界では、数が少ないものほど高額で取引される傾向があります。また、道端に落ちている石にはなんの価値もないのに、めったに採ることのできないダイヤモンドには何百倍もの価値があるというのも社会の常識となっています。

これを心理学では**「希少性の原理」**と呼びます。ではなぜ、人は希少なものに価値を見出すのでしょうか？　それは社会のなかに存在する、「希少なものは価値が上がる」という原則をすべての人が経験上、知っているからなのです。そしてそこには、何かを獲得するのが難しいと思えば思うほど、それを獲得したいと思う心理が働いています。

この心理は**「リアクタンス」**と呼ばれ、自分の自由の権利が脅かされたと感じたときに、その権利を再確認しなくてはならないと思う心理状態を指します。

つまり、「欲しいものを手に入れることができる」という自由な権利が「希少性」という困難に阻まれたからこそ、権利の再確認を必要と感じ、結果として**「希少なものほど手に入れたい」という欲求が生じる**のです。

また、その人にとって興味のあることや重要なことでなかったとしても、希少であるというだけで、価値を見出だしてしまうこともあります。逆をいえば、社会的に価値のあるとされるものでも、自分のなかで重要でないことにはまったく価値を見出ださない場合ももちろん

あります。

例えば、バーミヤン渓谷にある、世界遺産の巨大仏像がタリバンによって破壊された事件もこの原則で説明できます。偶像崇拝を否定する狂信的なイスラム教原理主義者にとって、あの仏像は、たとえ世界遺産であろうとも仏像は何の価値もない廃物と同じだということなのです。

ここまで解説してきた**人間の行動を決定している8つの「行動原理」**は、もちろん社会的影響や文化などにも大きく左右されるものですから、すべての人がそのように行動するとは限りません。しかし、こういった**人の行動や決断を左右する心理の〝原則〟を知る**ことは、相手を自分の有利なように誘導して、よりよいコミュニケーションをとる手助けになるはずです。

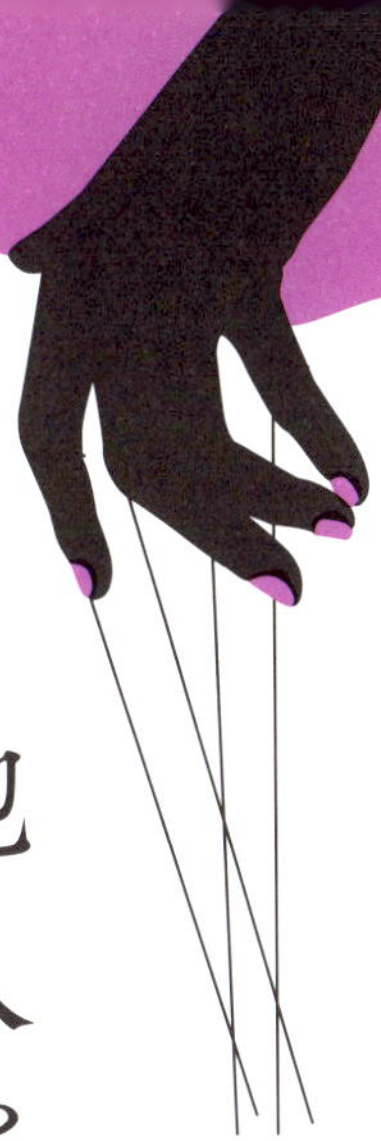

第4章

他人を支配する黒すぎる心理術

「言葉」ひとつで他人を操るヤバすぎる心理術

――「そんなつもりじゃなかったのに、いつのまにか頼まれごとをＯＫしていた」

友人や職場などでの人とのコミュニケーションのなかで、こんな経験をしたことはありませんか？　もしかしたら、そのとき、相手はあなたを心理術的な方法で操っていたのかもしれません。

よりよい人間関係を築くために、心理術のなかには、相手を自分のペースに巻き込み、**自然と優位に立つためのテクニック**が存在するのです。相手を見抜いて行動するよりも、手っ取り早いといえるかもしれません。

こう書くと、さぞや強引な手段なんだろうと思われるかもしれませんが、そんなことはありません。この心理術は**人間の持つ好意を利用し、相手が気持ちよくなる効果を狙ったテクニック**ですから、案外、相手を導くようにすんなりと自分が優位に立つことができるでしょう。その際には、多少の演技や演出が必要になってきます。そのポイントになってくるのが、**「言葉」「しぐさ」「見た目」**です。これらは、どれかひとつの方法だけで人を操るということではなく、相互作用が働いてこそうまくいきます。

まずは、「言葉」で他人を操るうえでの心構えを解説します。

声音を使い分けて、相手を丸め込む

相手を言葉によって導くとき、とりわけロジカルな思考が強い男性は、内容そのものに重きをおきがちですが、状況や相手によっては**声の質**や**大きさ**にも注意を払う必要があります。

窮地《きゅうち》に追い込まれた状況で、返答の際に気をつけるべきなのが**声の抑揚**です。例えば、恋人や妻から浮気を疑われたとき、最もまずいのは感情をあらわにすること。声のトーンが高くなったり、うわずったりして早口で筋の通らないことを言うと、ますます疑惑の目を向けられます。修羅場や別れ話を避けてうまく逃げるためには、**低い声でゆっくりと話す**ことで、相手を丸め込むことができます。

20世紀後半のアメリカ大統領選挙の得票率と声の

トーンの因果関係を調査したデータによると、**声の低い候補者の得票率の方が声の高い候補者の得票率よりも高かった**そうです。とくにレーガン元大統領は低くハスキーな声をたくみに利用して、多くの支持を得たといわれています。さすが俳優出身だけあって、声の重要性を認識していたのでしょう。低さにハスキーという特徴がプラスされることで男らしさとあたたかさが強調されたのです。

男性の低い声は、女性にとっては男らしさの象徴として魅力的に響きます。男性の場合、やや低音で語尾に力があり、物事をはっきり言う態度が好まれます。

また、声の大きさを使い分けることも重要です。相手との距離を縮めたいと思ったときには、**ささやき声を使うと親密度が増す**といわれています。このことをレーガン元大統領は経験から心得ていたのでしょう。低音のハスキーな声に加え、**ささやくような話し方で親しみやすさを演出**していました。

話すスピードをコントロールして〝デキるヤツ〟と思わせる

ビジネスの現場でプレゼンをしたり、営業先で商品やサービスを売り込んだりするとき、説得力のある口調・雰囲気を演出したいと考える場合には、スピーディーにイントネーションをつけて話すのが望ましいでしょう。

しかし、**話すスピードは相手の年代によって変える必要があります**。千葉大学の一川《いちかわ》誠准教授の実験によると、4〜82歳の約3500人に、自分が「3分」と感じた時点でボタンを押してもらったところ、年齢が高くなるほど、実際の3分を過ぎた時間でボタンを押す傾向がみられました。さらに分析すると、2〜4歳年齢が上がるごとに1秒長く感じ、70歳代では1割増しで時間を長く感じるということがわかりました。

つまり、**年をとるほど自分が感じる時間の経過はどんどん遅くなり、実際の時間の経過のほうを早く感じる**のです。よく大人が「時間が経つのが早い」と言っているのはこのためだと考えられます。こうした実際の時間と人間が感じる時間の違いのことを心理学では**「時間感覚」**と呼びます。

年代の違いによる時間感覚を考慮すると、**50代の人に向けて話すときは、20代の人に向けて話すときより、ゆっくりと話したほうが印象がよい**といえます。相手の年代が特定されている場合や年齢層が同じ人たちを相手に話すときは、ぜひ意識してみましょう。

黒い! テクニック

男性は能力をほめて、たらし込む

どんな人でも、ほめられて悪い気持ちになる人はいません。たとえ、その場ではなんともないような顔をしていても、心のなかではきっと喜んでいるはずです。

しかし、**ほめるポイントというのは男性と女性で変わってきます**。このポイントを外すと的外れな発言となり、相手に響かないばかりか、場合によっては「自分のことを全然わかっていない！」と思われることにもなりかねません。

男性をほめる場合は、相手の**能力をほめる**ことが重要です。なぜなら、男性の脳には狩猟本能の働きがあるからです。その昔、男性は家族のために獲物を捕まえるのが大事な役目でした。つまり、獲物を捕まえる能力があるかどうかがすべての世界なのです。そのため、「鍛えられた体ですね」「A社の契約、勝ち取ったんですって、すごいですね」など、強さや成果、結果といったことに結びつくほめ言葉に喜びを感じます。**男性は能力をほめられ、プライドをくすぐられる言葉に弱い**のです。

相手が男性の場合は、そのほかに、**能力の結果として得られたモノをほめるのも効果的**です。自分の能力を使って得たものは、闘争の末に獲得してきた戦利品。成功の象徴であり、達成感を満たすアイテムとして自身のアイデンティティが及んでいるためです。例えば、ボーナスで買った車や時計、マンションといった高い買い物がこれに当たります。「その時計、高級そうですね」「仕立てのよいスーツですね」などといった言葉でほめれば、きっと喜ぶことでしょう。

能力の結果、得られるのは何もモノだけに限りません。**学歴や地位も能力が高いからこそ得られるもの**です。「〇〇大学といえば一流ですよね」「まあ、あの会社の部長さんなんですか！」などの言葉は、多少わざとらしく、おだてだとわかっていても、満たされた気持ちになるもの。ほめられ尽くした結果、キャバクラのお得意様になっているという男性は、まさにこのような心理状態になっているわけです。

黒い!テクニック

女性は行動をほめて、恋心を抱かせる

逆に女性をほめる場合には、成果や結果をほめてもあまり効果はありません。基本的に男性よりも女性のほうが疑り深いので、能力をほめたところで猜疑心を抱かれることも。それより、**相手の行動や行為そのもの、つまり結果よりもプロセスをほめる**ほうが効果的です。

例えば、仕事でがんばった女性をほめるときは、「今月の営業成績トップだね」という言葉よりも、「いつも遅くまで残業してるよね」「お客さんへの心配りが細かいね」といった言葉をかけてあげるほうが、その女性はすごく喜ぶことでしょう。

かつて、女性は家庭をなかで支えることが大きな役目でした。男性の仕事とは異なり、成果によって違いが表れる仕事ではありません。それよりも、毎日の積み重ねが重要な役割。**コツコツと頑張っている姿をほめることが大切**なのです。また、女性の場合、**理解を示しながらほめるのもポイント**です。女性は、共感し合うことを求める気持ちが強いため、好意を持ってもらうためには、相手の気持ちや行動を受け止めつつ、ほめることが大事です。おしゃれに気を配る女性に、「そのスカート、センスいいですね」「昨日、髪切ったでしょ。似合ってるね」というようなほめ方です。

しかし、当たり前のことをほめてもあまり効果はありません。美人で、普段からちやほ

やされている女性に、「美人ですね」とほめても印象に残りづらく、「ああ、またか」と思われるだけ。

そんなときには、**内面をほめたり、ちょっと違う角度からほめる**とよいでしょう。「そんなことまで考えてくれるなんて、やさしさがあふれているね」「仕事のときに見せる、知的なまなざしがいいね」といった表現です。普段言われ慣れていないだけに、インパクトもありますし、**「あの人は本当の私をわかってくれている」「私のいい面を引き出してくれるに違いない」**というように、恋心に近い感情を持つこともあるでしょう。

女性をほめようと思ったら、普段からその人が何に関心をもっているかをリサーチし、**行動やしぐさをよく観察**することが大切です。

空気を読んで日本語を操る

言語学において、文章の前後や背景のつながりのことをコンテクスト（文脈）といいます。日本語のように、言葉を尽くして相手に意図を伝えるよりも、相手の意図することを状況によって察する言語環境のことを**「ハイコンテクスト文化」**といいます。逆に論理的な言語に頼り、説明能力や説得、交渉といったコミュニケーションを重ねて意思の疎通を図る欧米型の言語環境を**「ローコンテクスト文化」**といいます。

日本語のようにハイコンテクスト文化が成り立っている環境では、**言葉そのものだけでな**

く、**その裏を読む能力が求められます**。日本語を上手に使うには、「行間を読む」「空気を読む」ことが必要なわけです。

例えば「暑いね」と言われたら、単純に天気のことを話題にしたい場合もありますが、状況によっては「この部屋、熱気がこもってるから、エアコンをつけてほしい」という真意が隠れている場合もあります。

こうした言語環境では、おのずと**本音と建て前が生じやすくなります**。日本語で人を支配するには、本音がどこに隠れているのかにも注意しなくてはなりません。

あの人の本音が表れるのはどこ？

「空気を読む」以外にも日本語の表現で注意したいポイントがあります。それが**「個人的にはおもしろいと思うのですが」「おおむね、OKなのですが」**といった言い回し。よく使われる表現だけに、ドキッとした方も多いのではないでしょうか。

これらの表現のなかには「おもしろい」「ＯＫ」と肯定的な言葉が入っているので、それだけで安心してしまいますが、そのあとの「…なのですが」が続いている点が問題です。日本語には肯定なのか否定なのか、最後まで聞かなくてはわからない**「文末決定性」**という特徴があります。**文末に否定形が入っている場合は、否定の気持ちのほうが強い**ことが多いのです。日本人の「なるべく曖昧にしたい」「穏便にすませたい」という気持ちが、よりこの表現の多用を生みます。相手の真意を知りたい場合には、文末に注意を払う必要があります。

逆にいうと、この表現は否定の気持ちをやわらげたい場合には使えますので、上手に会話のなかで使えるとクッションの役割を果たします。ただ、鈍感な人が相手のときや、物事をストレートに伝えたい場合は使わないほうがいい表現かもしれません。

甘い言葉はメールでささやく

現代では、電話やメールなど、顔を合わせなくても言葉を交わすツールを１日のうちで何度も使う機会が増えています。これらは親しい間柄だけでなく、ビジネスにも欠かせないツールですので、特徴をふまえて活用していかなくてはなりません。

電話やメールは対面で言葉を交わすよりも、二次的三次的な情報が入らない**閉ざされた空間でのコミュニケーション**。対面での会話以上に言葉が主役のコミュニケーションツールだといえます。

とりわけ、メールは手紙と同じように自分のイメージを広げやすいツールです。言葉の意味内容から、様々な推論が展開されます。例えるならば、映画よりも小説のほうが、人物や場所についての想像力が働くのと同じこと。自分が期待している世界が広がり、感情の高ぶりも招きます。

こうした状況では、悪い出来事はより悪いイメージを、よい出来事はよりよいイメージをふくらませます。つまり**謝罪やクレーム対応など悪い状況では、メールや電話は使わないほうが無難**だということです。謝罪やクレーム対応は、相手が悪い想像をふくらませないうちに、すぐに駆けつけて直接対面で応対したほうがよいでしょう。

逆に、**ハッピーな知らせやロマンチックなささやきはメールや電話で伝えるほうが、より感情の盛り上がりを生みます**。インターネットで出会ったふたりがわずかな逢瀬しか重ねていないにも関わらず、結婚にまで至るのは、閉ざされた空間での感情の高ぶりがあってこそ。

また、メールはマンネリ化した恋人関係を修復するのにも役立ちます。相手がいて当たり前の環境になったと悩んでいるときは、思い切って会う回数を減らし、1、2カ月は、メールを中心にやりとりしてみてはいかがでしょうか。お互いにいい面だけを見せ合える関係をもう一度つくり、そこでロマンチックなささやきを重ねる。**一度離れた気持ちが再びよみがえり、思いや絆を深める役割を果たします。**

黒い！テクニック

無言で聴くだけで、要求をのませる

ここまでは主に言葉で相手より優位に立つための基本的な考え方や心構えを説明してきましたが、ここからは、いよいよ心理学・心理術の考え方をベースにした、**他人を「言葉」で上手に誘導するテクニック**を具体的にご紹介します。

まず、最初に紹介したいのがあえて言葉を制限する **〝無言のテクニック〟** です。言葉を発するのを抑えるだけで、相手の心情をコントロールすることもできるのです。言葉で操ると聞いて、「ハードルが高いな」と感じた人にはうってつけの方法といえるでしょう。

そのひとつが、**相手の話をじっくり聴く「傾聴」**という方法です。これは現代の臨床心理学の現場でも主軸として採用されている方法です。アメリカの心理カウンセラーであるロジャースが提唱し、現在のカウンセリングスタイルの基になりました。

傾聴には、**相手に話をさせることで気持ちを整理させ、現状に不満があれば、自分（相手）の取り組み方を振り返って反省し、なんとか自分（相手）で解決方法を見出させようとする効果**があります。また、話に耳を傾けることで、無条件で自分を受け入れてくれる相手（聞き手）に信頼感を抱く効果もあります。

これを応用して、無言で相手に自分の要求をのませる方法があります。例えば、仕事が忙しくて何かと怒りっぽい彼女に、いつも笑顔で接してほしいと思ったとします。彼は、恋人が夜遅く帰宅したところを見計らって、「忙しいみたいだけど、仕事が大変なの？」と声を掛けます。

すると彼女は仕事に対する不満や自分の置かれた立場の大変さを話しはじめます。あなたは、ときに相づちを打ちながら、ひたすら傾聴します。彼女はそのうち、話を聞いてもらったことで欲求が満たされ、自分を省みはじめることでしょう。

同時に真剣に話を聞いてくれた彼を愛おしく思うはずです。彼女は「彼に優しくしなきゃいけないな」と自発的に思いはじめます。彼女は、これをきっかけに、恋人に対して笑顔を見せる機会が多くなることでしょう。

黒い！テクニック

沈黙で恐怖心を植え付ける

無言のテクニックは、**「相手を拒否したい」「相手に恐怖心を与え、強い人物を装いたい」**というときにも使えます。無表情でうなずきもせずに話を聞くことで、相手は必ずペースを乱し、**話そうとしていたことへの自信を失うのです。**

これはアメリカの心理学者マタラゾが１９６４年に行った「うなずき」の実験でも証明されています。実験は面接試験に訪れた男性を対象に、45分の面接のなかで一方のグループには15分だけ面接官が盛んにうなずき、もう一方ではうなずく回数を増やさないという条件で行われました。

すると、たくさんうなずいた方のグループでは被験者たちの発言が増え、うまく話ができたのに対し、もう一方のグループにはそうした変化はみられなかったのです。

この実験結果からわかる通り、**うなずきは発言の潤滑油になり、速めのペースでうなずくことで相手の口はなめらかになります。**しかし、話のうまい人の営業トークに言いくるめられたくない場合は、**逆にうなずきをなくせば、相手の調子を上げさせない効果があるの**です。

これは、弁のたつ友達や会社の同僚を相手にしたコミュニケーションの際にも使えます。いつも要求をのまされてしまう、口ゲンカではかなわないといった状況で無言を貫けば、相手のペースにはまるのを防げます。さらに、その後、否定的な言葉を持ち出せば、相手はそれ以上話を進められなくなるでしょう。

情報を制限して、幸福感をキープ

無言のテクニックのなかでも、少し高度なのが、情報を制限することです。相手と話をして説得したり、思い通りにことを運ぶためには**思ったことを全部言えばいいというものではありません**。

目の前においしそうなアイスクリームやチョコレートがあったとします。ちょっと小腹がすいているな、と感じているような状況では「おいしそう」と思い、手が伸びるでしょう。しかし、カロリーの表示があったり、生クリーム入りなどの文字を見て、「やっぱり太るし、やめておこう」という気持ちになるのを経験したことがあるかと思います。

もし、カロリーの表示がなければ、何の疑問もなく、おいしく味わっていたのに…。ある意味、**知らない方が幸せ**だったといえます。

これは、私たちの会話に対しても同じことが当てはまります。男性が恋人に向かって、「いままで20人と付き合ってきた」と言われたら、せっかくラブラブな雰囲気だったとしても、げんなりしてしまいます。これも彼女は知らなければ幸せだったはずです。

あえて言う必要のない言葉を選別するのは、テクニックというより、気遣いかもしれません。言葉を発する前に、これは話すべき会話かどうかを一度考えてから口にするほうがよいでしょう。

黒い!テクニック

「ピグマリオン効果」でほめて育てる

自分が有利な状況にするために、言葉で他人を上手に誘導する心理術の手始めとして、ほめられてうれしくない人はいない、という話をしました。さらに、そこからもう一歩踏み込んで、相手を自分の期待する方向性にもっていく**「ほめて育てる」心理テクニック**を紹介します。

黒い!テクニック

ほめ殺して、ライバルを手中におさめる

アメリカの心理学者ハーロックは、小学校5年生に5日間算数のテストをさせ、ひとつのグループには成績を問わずにほめて、ふたつめのグループには叱責をし、3つめのグループには何もしないという内容で対応を分けて成績の伸びを比較しました。

この結果、成績をほめたグループは成績が上がり、叱ったグループは成績が停滞し、何もしないグループでは変化が表れませんでした。

このように、**期待することによって対象者からやる気が引き出され、成績が向上する現象を「ピグマリオン効果」**と呼びます。キプロスの王ピグマリオンが自分で彫った象牙《ぞうげ》の乙女像を愛し続けた結果、乙女像が本物の人間になったというギリシア神話にちなんで、心理学ではこのような呼び方をしています。

もちろん、この心理術は何も子どもに限ったことではなく、大人にも使える手法です。恋人に優しくしてほしいと願うなら、なにかしてくれたときに「気遣ってくれてありがとう。よく気がつくよね」、夫に家事に協力的になってもらいたいなら、手伝いをしてくれたあとに「ありがとう。重いものを持つのはつらいから、とても助かるわ」などと、ことあるごとに**行為をほめる言葉を相手に投げかけることを繰り返すだけでいい**のです。これは意識をすればすぐにできることなので、ぜひ実践してみてください。

ほめるテクニックを駆使すれば、好きな相手だけでなく、**敵意をむき出しにしてくるライバルやいけ好かない相手さえも操ることができます。**好きでもない相手をほめるというのは、少々腹立たしいかもしれませんが、相手を手なずけるステップと思うと苦にならないでしょう。

もし、あなたがライバルを手なずけて、ときおり嫌な仕事を押し付けてやろうと思ったとしましょう。こんなときに利用したいのが**「認知的不協和」**という心理学的概念です。認知的不協和とは、1975年にアメリカの社会心理学者レオン・フェスティンガーが提唱した概念。

これは、**人が何らかの出来事に遭遇した際、その出来事が今まで思っていたのと違う状況のとき（不協和）に、それを解消しようとする気持ちが働く**という心理を説明したものです。

例えば、「ライバルにほめられる」というシチュエーションもその状況にあたります。ライバル関係というのは、普段お互いの力量を認め合う関係にあったとしても、たたえ合う関係ではありません。ですから、ライバルには「ほめられるはずのない相手にほめられる」という不協和が生じています。そのため、心のなかではその不協和を解消しようと、**「あいつは案外いいやつなのかもしれない」と思い込む作用が働く**のです。

ライバルをほめるシチュエーションは、次のように相手が手柄を勝ち取ったときが最適です。

「5社が参加した競合コンペに勝ったんだって？　なかなかできることじゃないよ」

「A社の契約をまとめたんだって？　あそこの部長は手ごわいって評判じゃないか」

といった具合です。

こうしたほめ殺しともいえる機会を折にふれて設けることで、**相手は次第に飼いならされ**

た状態に傾いていきます。ライバル心や敵対心は消え、いつしかこちらの言うことを聞く心理状況になっています。そこで、面倒なことやリスクのある用事を押し付けるのです。相手のなかではなんとか要求に応えたいという潜在意識が働くので、以前では考えられないくらいあっさりと用件をのんでくれるかもしれません。

このように、「ほめスイッチ」を自分のなかにいつでも用意しておくと、いつしか理想の状況ができあがります。日々、**ほめる技術を磨き、ライバルさえも手の平で転がせるようになりましょう。**

黒い！テクニック

「オウム返し」で、真剣に聞いているフリをする

話を真剣に聞いているという印象を与えたいときや、逆にどうでもいい話だが相手が相手だけに、聞かないわけにはいかないというときに便利な心理テクニックがあります。それが**「オウム返し」**という方法です。

オウム返しは、心理学用語でいう**「ペーシング」**のひとつ。ペーシングとは、**相手の話すリズム・スピードや、音程の高い・低い、声の大きさなどを合わせることで、親近感を抱かせる心理テクニック**です。

オウム返しには、相手の言葉を反復することで、「受け入れられている」と思わせる効果があるのです。やり方は簡単で、**相手の話す言葉じりやキーワードを聞いておき、それを**

繰り返すだけ。例えば、仕事帰りの居酒屋でいつも自慢話が長くなる上司の話に付き合うという場合、以下のような相づちの言葉を使うのです。

上司「ゴルフコンペでホールインワンしちゃってさ」

自分「ホールインワンですか!」

上司「A社の鈴木さんがあんまり横柄なんで、面と向かって文句を言ってやったんだよ」

自分「文句を言ったんですか!」

基本的に真剣に話を聞いていなくても、ただ復唱するだけでいいのです。それだけで、相手にとってみれば「自分の話をちゃんと聞いてくれている」という合図になるのです。

お酒の入った席での自慢話や苦労話はどうせ相手も覚えていないのだし、ちゃんと聞く必要もありません。しかし、このポーズがなければ「本当に聞いているのか!」とからまれるからやっかいです。

もちろん本当に熱心に相手の話を聞きたい場合にも、ちゃんと相手に伝わります。**なかなかうまい切り替えしが浮かばないときは、「オウム返し」するだけでもよい**ということを覚えておきましょう。

黒い！テクニック

「そうだよね」で相手をつつみ込む

女性をほめるとき、共感を交えたフレーズが効果的だという話をしましたが、これはなにもほめるときに限ったことではありません。**女性は基本的に共感されることを望んでいる傾向が強いもの**だからです。

例えば、恋人や女性の友人に相談を持ちかけられたとき、自分なりの見解を述べ、アドバイスをしたつもりなのに、どうも腑に落ちない表情をしていたという経験はありませんか。実はそのようなとき、女性は**共感を求めているだけ**なのです。

男性は「相談」と言われると、論理的に「解決」の方法を見出そうとしますが、女性の心理はそのようにできてはいません。「相談したいことがあるんだけど…」の真意は、「聞いてほしい」「理解してほしい」なのです。

男性でも悩みを持ち、弱ってしまっているような状況では同じような心境だといえるでしょう。いわば、**自分の思いを正当化してほしい**のです。こんなときには「そうだよね」「わかるよ」という言葉が効きます。このフレーズには、相手のことを肯定して「あなたは正しいですよ」「私はあなたの味方ですよ」というニュアンスが含まれています。このような肯定的な言動を心理学では**「社会的正当化」**と呼びます。

ニューヨーク州立大学の心理学者であるシドニー・シュレーガーは、会話による実験でこれを証明しています。シュレーガーはある場所に被験者を呼び、男女混合の3人組に分け、一定時間グループで会話をさせました。そして、終了後に集まった全員の印象を調べたところ、**高評価を得たのは「自分の発言を肯定的に聞いてくれた人」**だったのです。

人の心をつかみたいなら、まず相手を受け入れることが大切です。たとえ相手の意見が「間違っている」と思っていても、まずは共感してみること。静かに大きな心で包み込む気持ちが相手の心をつかむことにつながります。

黒い!テクニック

反論したいときは「イエスバット法」で主導権を握る

相手の意見に対して反論したいときや聞き入れてもらいにくいお願いをするとき、論理をふりかざしてなんとか相手を説得しようとしていませんか？　相手の側に立ってみればわかるのですが、こういう場合、真っ向から交渉したのでは怒りを買ってしまう恐れさえあります。

こんなときこそ、心理術が役に立ちます。**ポイントは相手をいったん受け入れること**です。まず、相手の言い分に耳を傾け、いったん相手を受け入れます。一緒に添えたいのは、「なるほど」「そのとおりです」「わかります」などの**〝ＹＥＳ〟の意味を含んだ言葉**です。

その後、相手が同調されることに安心したところで、自分の意見を主張しはじめるのです。このときも、否定の言葉はなるべく使わないことがポイント。例えば、ビジネスシーンでのやりとりであれば、「お気持ちはよくわかります。しかしながら、このような場合ではこちらの方がよろしいかと存じます」「あいにく、そちらの方法では受けかねるのですが、こちらの方法でしたら、喜んでやらせていただきます」というように、提案してみるとよいでしょう。

これは**「イエスバット法」**と呼ばれ、セールスマニュアルにもよく取り入れられている心理テクニックです。つまり、**相手の主張に同意し、受け入れてみせる行為**になるのです。なぜこれが効果的かというと、心理学でいうところの**「容認」**を含んでいるからです。怒りや反感も、相手の立場や事情もすべていったん了承したことにするのです。

さらに、こうした会話では、**文末を肯定的なフレーズで終わらせたり、命令形ではなく依頼のかたちをとることで印象がグッと変わります。**「品質は高いのですが、コストは覚悟してください」ではなく、「コストはかかりますが、品質は保証します」。「当社までお越しください」よりも、「当社までお越しいただけませんでしょうか」などの言い回しです。

反論を表に出さず、実質的に主導権を握ることが大事です。最初のうちは、意見やプライドを捨てて、最後にほほえむことにしましょう。

黒い！テクニック

あえて「頼みごと」をして味方に引き込む

相手を自分のペースに巻き込みたいとき、**あえて頼みごとをする**のもひとつの手段です。「そんな厚かましい…」と恐縮してしまいそうですが、うまく他人を使える人ほど、このテクニックを巧妙に使っているものです。

アメリカの心理学者であるジェッカーとランディは、この「頼みごと」の心理的効果を**「援助の認知的不協和の実験」**により証明しています。まず、被験者である大学生に問題を解いてもらって、3ドル、または60セントの報酬を支払います。その後、担当者が「資金繰りができなくなりました」と言って、「お金を返してほしい」と学生に頼むのです。

このとき、①担当者が直接頼む　②大学職員が頼む　③お金を返すことを頼まない、という3パターンと返す金額によって、担当者への好意の度合いを比較しました。その結果、担当者にもっとも好意を寄せたのは、①担当者が直接頼んだ場合で、なおかつ返してほしいと頼んだ金額が大きいほうが好意のレベルが高いことがわかりました。

一見、頼みごとというのは厄介なことを押し付けるイメージがありますが、相手からしてみると内容によっては**頼りにされたと満足感や好意、親近感を感じる**ものなのです。

ビジネスシーンでも、同僚や後輩に「かなりきつい状況なんです。少しだけでも手伝ってもらえないですか？」と頼まれ、終わったあと「助かりました。ありがとうございます」と言われれば、**自分は人の役に立ち、感謝されるだけの人間として自らの存在意義を強く感じる**ことでしょう。さらには頼ってきた相手を好ましくさえ思うはずです。

頼みごとをして好かれるなら、自分にとって悪いことは何もありません。この方法は目上の人にでも同じ立場の人にも異性にも活用できます。**上手にお願いごとをして、自分の味方をどんどん増やしましょう。**

黒い!テクニック

「名前」を頻繁に呼んで親密度を増す

商談のとき、相手と親しい間柄になっていると相手の提案などはなかなか断りにくいものです。このような人の心理を利用して、いち早く親しい間柄になって、相手に自分の提案を断りにくくさせるための心理テクニックがあります。それは、**「相手の名前を頻繁に呼ぶ」**ことです。

心理学ではこうした心理を**「社会的報酬」**と呼びます。名前を呼ぶことは、コミュニケーションの場において**「あなたの存在や価値を認めていますよ」**という報酬行為になるのです。

アメリカ・南メソジスト大学のダニエル・ハワード博士は次のような実験で、「社会的報酬」の効果を明らかにしています。まず、学生たちに自己紹介をしてもらい、個別に博士の部屋に呼びだします。そして、①名前を呼ぶ　②名前を忘れてしまったので、もう一度教えてほしいと言う　③名前を呼ばない、という3パターンの会話のあと、クッキーを買うかどうかを聞いてみたところ、①では90％、②では60％、③では50％の学生がクッキーを購入したのです。

人間は自分の名前が会話に出てくると関心を向けずにはいられません。**名前を連呼されているうちに、相手に対して親近感を覚えるようになる**のです。

ビジネスの場では、自社他社を問わず、肩書で「部長」と呼んだり、「御社では～」と会社名で会話をはじめることがよくあります。そのとき、「鈴木部長は～」などと必ず姓をつけたり、会社名ではなく**相手を名指しする習慣**をつけてみましょう。

また、あいさつをするときも「鈴木部長、おはようございます」、判断をあおぐときも「鈴木部長、いかがでしょうか」と付け加えましょう。会話がとたんに「個と個」のものになり、親しみが増し、顔見知りの間柄以上の存在になることでしょう。

こうなれば、いままでなおざりにされていたとしても、きちんと対応されますし、質問したときもよい答えが返ってきやすくなります。

ビジネスだけでなく、長年連れ添った夫婦や少し距離のあった知り合いの場合には、それまで**「名字」で呼んでいたのなら、「名前」で呼んでみる**と、同じようにより親近感が生まれる効果が期待できます。

黒い！テクニック

弱みを見せて、少ない報酬で満足感を与える

「お金はないけど、彼女を満足させたい」「少ない金額しか払えないけど、一生懸命

仕事をしてもらいたい」――とても都合のいい考えではあるのですが、心理術にはこのような都合のいい話を可能にする手段があります。それは**相手に自分の「弱み」をあえて見せる**ことです。これは**「認知的不協和理論」**という心理的理論を応用したものです。**認知的不協和理論とは、得られるものが少ないほうが満足し、献身的になろうとする心理状態**のことを指します。

アメリカの社会心理学者レオン・フェスティンガーは、労働者は労働が過酷であればあるほど、安い賃金でも満足しやすいということを実験で証明しています。

実験ではまず、複数の学生グループに単純作業をさせます。作業の感想を聞くと、学生たち全員が「つまらない」と評価しました。その後、高額の報酬と少額の報酬を与え、それぞれのグループに再び作業への評価を聞くと、高額報酬のグループは評価が変わらなかったのに、少額報酬のグループは「おもしろかった」と評価を変えました。

どうして少額なのに「おもしろかった」のでしょう？　それは、過酷な仕事なのに報酬が少ないのを「自分の評価が低いためではない」と否定するために、**「自分が楽しいからやっているんだ」と思い込ませようとする心理が働いたから**なのです。

この心理の法則は恋人を満足させるのにも利用できます。例えば、普段のデートのとき、高いレストランに行かず、「ごめんね、あまりお金がかけられなくて。でも、ボーナスが入ったら、あのレストラン（高級店）に必ず連れていくからね」と言っておきます。すると彼女は、「彼とおしゃれなレストランなんかに行けなくてもいい。だって、**私は彼と一緒にいることが**

楽しいんだから」と本音をすりかえるようになります。

やがてこの彼女は、恋人に尽くすことに喜びを見出すようになるのです。もちろん、たまにはおしゃれなレストランに連れて行ったり、プレゼントをあげたりしましょう。これも、彼女の印象に深く残る出来事になります。心理学や人の心理の法則を知っておけば、無理をして恋人をお金でつなぎとめるようなことをしなくてもよいのです。

黒い!テクニック

「自己呈示」で第一印象をグレードアップ

合コンや飲み会などの出会いの場での自己紹介はとても重要です。その第一印象は相手のイメージを作りあげ、その後の付き合いにも影響を及ぼします。心理学ではこれを**「初頭効果」**と呼びます。そこで、好印象を植え付けるのに用いたいのが心理学でいう**「自己呈示」**という手法。自分の**長所やアピールしたいポイントをうまくピックアップして、相手に好ましいイメージを抱かせる**のです。

例えば、合コンで好みの女性が「たくましい男性が好き」だった場合は、自分のなかのたくましい面をアピールするために、「スポーツクラブに通って、筋トレをしています。脱いだらすごいんです」とアピールしてみます。たとえ、月に1回ほどしか行ってなくても構いません。ウソでなければよいのです。

また、自己呈示には**「自己呈示の内在化」**という効果もあります。先ほどの例で男性はたくましい自分をアピールしていますが、みんなの前で言うことで、自分自身のことをたくましい人間として認識しはじめます。

合コンの場では、あまりに素直に等身大の自分を見せても埋もれてしまうだけです。相手にいいイメージを抱かせることができれば、**アプローチされるのを待つ立場**になれます。多少、誇張した内容でも、自分もそれに近づこうとするため、そのうち本当に素晴らしい自分になっているかもしれません。

黒い!テクニック

「両面提示」で相手を完全に信頼させる

自己呈示とは異なり、**悪い面も提示して相手を信頼させる**やり方もあります。心理学の世界では、これを**「両面提示」**といいます。

よく使われるのが商品を売り込むときです。例えば、あるシャンプーは、商品のメリットとして頭髪を健

やかに保つ成分が豊富に含まれていて、なおかつフケやかゆみにも効果を発揮します。さらに、それだけの品質にも関わらず、価格も非常にお手頃だとします。このようにシャンプーのよい点ばかりを聞くと、懐疑的になる人もいると思います。そこで、実は薬効成分の香りに多少クセがあるという**デメリットを伝える**のです。

商品のいい話ばかりを聞いて警戒しているところに、少しでもマイナス面を明かされると、「隠しごとをせず、誠実に情報開示している」と思い、商品に対して信頼感を抱き、よいイメージをもちはじめるのです。

両面提示の効果は、社会心理学者の林理氏と山岡和枝氏の実験でも明らかにされています。実験では、生命保険の広告を題材にして、被験者の大学生に対し、リスクを提示しない広告とリスクも提示した広告の2種類を見せ、「どれくらい好感を持ったか」を聞きました。すると、結果は80％の大学生が、リスクも提示した広告に好感を示したと報告しました。この結果から、人は基本情報やよい情報だけを提示されるより、**そのデメリットも提示された場合のほうが、より高い好感度を示す**ことがわかります。

これはいろいろなものを売り込むときにも使える理論です。あなたは、取引先の人と商談するとき、自社の商材のいいところばかりアピールしていませんか？　または、取引先の人に仕事をとおして自分が優秀であることばかりをアピールしていませんか？　**商品はもちろん、人に対しても両面提示は有効**です。ときには、取引先の人に対して、自分の欠点を見せてみると、今よりもグッと信頼感や好感度が上げられるかもしれません。

「しぐさ」で相手を魅了するマル秘の心理術

「あいつは動きが洗練されていて、デキるやつに見える」「女性のセクシーなしぐさにやられた」――仕事やプライベートでこんな会話をしたことはあることでしょう。そう考えると**「しぐさ」も立派なコミュニケーション手段のひとつ。**言葉だけでなく、身のこなし方、手の動き、視線の動かし方などでも、人の心を動かすことはできるのです。

日本人は言葉で多くを説明しなくても、ぽつりとつぶやいたひと言から、その人が何をしてほしいのかを読み取って相手の意図を探ります。そうしたクセがついているために、しぐさからも相手が何をしようとしているのか、探ろうとする思考が無意識に働いているともいえます。

例えば、商談中、自分が商品の説明を終えた後、相手が腕組みをしはじめたら、なんとか相手にとりいろうと考えて、「値下げに応じようか…」といった考えが働きます。こうした心理を利用して、しぐさで相手を自分のペースに巻き込むことができます。

また、人間が無意識に感じる好印象や悪印象といった深層心理を利用したテクニックもあります。「目は口ほどにものを言う」といいますが、視線の動きも人の心理を動かすしぐさのひとつです。ビジネスなどの人間関係で役に立つ、**様々な「しぐさ」に関連した心理テクニックをご紹介**します。言葉の次はしぐさのテクニックを磨いていきましょう。

黒い! テクニック

「同調行動」で忍び寄り、親しみを覚えさせる

会社の上司や取引先のキーマン、気になる異性に至るまで、**「いい関係を築きたい」「好ましく思われたい」**という相手はいませんか。

これを叶える心理学的テクニックに**「ミラーリング」**というしぐさがあります。やり方は簡単で、好ましく思われたい相手のしぐさをさりげなく真似るだけ。同じしぐさをするというのは、「相手を受け入れている」というサイン。**動作によって相手に共感している自分の感情を無意識に伝えている**ことになります。

良好な関係が築けている人同士というのは、会話を聞かなくても、実は傍から見てもわかるものです。気の合う人、好意を寄せ合う人たちのしぐさや姿勢、間の取り方はどこか似ているからです。町を歩く仲良しの女の子の行動はとてもよく似ている、と思ったことがあるでしょう。もちろん、意図してそうなっているのではなく、あくまでも無意識にそうなってくるのです。この現象を心理学用語で**同調傾向（姿勢反響）**といいます。

つまり、ミラーリングはこれを応用して、普段から相手の口癖や言い回し、口調を観察し、商談中であれば、お茶を飲むタイミングを合わせたり、身を乗り出す姿勢を真似するだけでよいのです。

形から入っている行為とはいえ、いつのまにか相手の心をとらえています。何となく冷たかった商談相手も、徐々に心を開いてくれるでしょう。

黒い！テクニック

「まばたき」をコントロールして相手を信用させる

ウソをついているときのサインのひとつに**まばたき**があります。まばたきは、相手の言動に動揺していて落ち着こうとしているときに多くなるからです。相手にじっと見つめられたり、意表をつかれたりしたときにも多くなります。

まばたきが多いときには、**本能的に相手の視線を避けたい**という心理が働いています。

まばたきの多い人を見ると、疑わしい、信用ならないという印象を受けるのはこのため。

この「まばたき」と「心理」の関係について、アメリカで心理学的調査が行なわれました。アメリカのボストンカレッジの神経心理学教授ジョー・テッセは、1996年の『ニューズウィーク』誌で、同年のアメリカ大統領選のテレビ討論におけるふたりの候補者のまばたきの回数を発表しました。候補者は、ボブ・ドール氏とビル・クリントン氏。彼らが選挙期間中に行った討論でのまばたきの回数は、ドール氏が平均147回、対するクリントン氏は平均99回という数字で、選挙の結果、当選したのはビル・クリントン氏でした。

ジョー・テッセ教授は、1996年の大統領選のほか、5回の大統領選挙も調査しています。そこからも、討論中にまばたきの多い候補者はことごとく落選していることを指摘。選挙の結果はまばたきだけが原因ではないでしょうが、ドール氏は国民の目に、**気の小さい人という印象を与えた**のではないかと考えられています。

ドール氏もそうですが、男性はウソをついているとまばたきが多くなります。しかし、女性はウソをついているときほど、まばたきが少なく、相手をじっと見つめているものです。これは、ウソをつくとまばたきが多くなるということを女性は本能的に知っているからだといわれています。

男性は女性のこのしぐさを見習って、人と話をする際に**意識的に目を見開いて、まばたきを我慢してみましょう**。浮気を疑われて詰問されたときも、プレゼンで緊張しているときも、きっとそれを悟られにくくなるはずです。コンタクトをしている人は目が乾いて自然にまばたきが多くなってしまうので、ここぞというときはメガネをかけることをおすすめします。

黒い！テクニック

「真摯《しんし》な相づち」で相手の心をトリコにする

相づちの有無は、話を聞くうえで話す相手のペースをコントロールすることができるしぐさのひとつだといえます。相づちは話を真剣に聞いてくれているというサインになり、共感を生むことにつながります。

この相づちの打ち方にも、効果的なテクニックが存在します。アメリカ・メリーランド大学の心理学者アロン・シーグマンは、48名の女子学生を対象に相づちのタイミングについての実験を行っています。

実験では、彼女らに前半と後半で相づちの有無を変えてインタビューをしました。そして実験終了後、女子学生にとってインタビュアーがどれくらい温かい人物だったかを調査しました。

すると、**前半で相づちを打っていたのに、後半で相づちを打たなくなると学生たちは冷たい印象を持つ**ことがわかりました。相づちは途中でやめてしまうと、評価を下げてしまうことになるのです。

話をしている最中の**相づちは最後までたくさん大きく打つ**ことが大切です。それが熱心に話を聞いているポーズになるからです。さらに、初めは少なめにして、**後半になるほど多めに相づちを打つ**ことで、「もっとあなたの話を聞きたいんです」ということをアピールすることができます。

相づちをうまく打てるようになると、聞き上手になれます。世の中には、話を聞いてほしい人がたくさんいます。とくに、年齢が上がれば上がるほど、「若い人に自分の経験を伝えたい」と思うものです。

会社の上司や取引先の目上の人の話を聞く機会があれば、うまく相づちを打って**「この人に話を聞いてもらうと気分がいいな」**と思わせたらしめたもの。そこで懐に入り、うまく信頼を勝ち取りましょう。

黒い!テクニック

セクシーさの「ギャップ」で異性を翻弄《ほんろう》する

「モテしぐさ」という言葉を聞いたことはないでしょうか。男性同士、女性同士が見ても何の刺激もないけれど、異性が見るとドキッとするしぐさがあります。

基本的に**男性は女性らしさが強調されたしぐさに弱く、女性は男性らしさを強調したしぐさに弱い**という心理があります。

男性が見てセクシーな女性のしぐさは**髪を触る**ことです。女性の髪は男性よりも長い方が多いので、自分にはないセックスシンボルとなります。手入れの行き届いたさらりとした髪はそれだけで「触りたい」という欲求を高めるもの。耳に掛けたり、もてあそんだり、束ねてみたり…といろいろなしぐさのバリエーションで気をひくことができます。髪は長いほうが変化を見せられて効果的でしょう。

同じように**女性ならではの体の曲線を強調したしぐさ**も男性をドキッとさせるのに効果的です。右にあるものをあえて左手で取るしぐさは**クロスの法則**と呼ばれています。右耳のピアスを左手で触ったり、両手をクロスさせるしぐさがそれに当たります。

逆に女性がセクシーに感じる男性のしぐさのひとつには、**ネクタイをゆるめる**という行為があります。男性の首から胸にかけてはＯＮとＯＦＦの切り替えを象徴するゾーンです。ネクタイを締めたフォーマルな印象から一転、たくましい胸元がのぞく瞬間に目を奪われるのです。これを心理学的には**ギャップ効果**といいます。

ほかに**腕まくり**でもギャップが感じられます。仕事中に重い荷物を運ぶというような状況で、ジャケットを脱ぎ、普段は見せない太くたくましい腕があらわになったときに女性はドキッとします。好きな女性が重い荷物が運べなくて困っている場面は、「腕まくり」を披露する絶好のアピールチャンスになるでしょう。

「重い荷物はまかせてよ」と優しさを見せながら、腕のたくましさを強調すれば、男性としての魅力で相手の胸をときめかせることができます。

黒い！テクニック

「ちょい触れ」テクで警戒心をなくさせる

合コンの席で女性に腕や肩を触られ、思わず好意を抱いたという経験を持つ人は少なからずいると思います。**適度なスキンシップは異性だけでなく、同性でも好意を持たせるきっ**

かけになることがアメリカで行われた心理学の実験でもわかっています。

実験の設定はこうです。町でアンケート調査を行う際に、質問者が回答者の腕に軽く触れながら答えてもらう設定と触れない設定を用意します。その後、質問が終わりそうなときに、質問者が回答用紙の束を落とし、回答者がそれを拾うのを手伝おうとするかどうかを比較しました。

その結果、腕を触れられた回答者の方が用紙を拾い集めようとしてくれた割合が高かったのです。このことから**肌にタッチすることが好意を持つきっかけになっている**ことがわかります。人間は体に触れられると、赤ちゃんのときに母親に抱かれていた安心感を思い出すという心理が働くといわれています。

上司や取引先に好印象を持ってもらいたい場合は、さりげなく相手に触る機会を設けてみましょう。**男性同士というのは警戒心も生まれやすいものなので、軽く触れて警戒心を解けば、好意が生まれるきっかけになります。**例えば、前方に上司が歩いているのを発見したときなど、肩に触れてあいさつを交わす、取引先と交渉が成立したときに両手で握手を求めるといった行為なら不自然ではありません。

男性同士でも、打ち解けた関係をつくるために、「ちょい触れ」テクを有効に使っていきましょう。

黒い！テクニック

視線をコントロールして、会話の主導権を握る

「人と会話をするときはちゃんと目を見て話をすることが大切」とは、会社からも親からもよく言われる、社会人としてのマナーです。そこで、ここではひとつ上のテクニックとして、**「目線の動き」で会話の主導権を握る方法**をご紹介します。

基本的に、会話をしているときは相手と適度に目を合わせながら話していることが多いと思います。これは、相手の話をちゃんと聞いていることを示す大事なサインになりますが、肝心なのはこの後。**見つめ合った視線は、先にはずしたほうが優位に立てるという視線の心理効果**があるのです。目をそらすのは、自信がないからだと思われがちですが、実はそうではありません。

この心理効果はイギリスの心理学者ブライアン・チャンプネスが行った実験でも証明されています。実験では、初対面の学生の性格を能動的か受動的かでグループ分けし、そのなかのひとりずつを選んでカップルを設定します。カップルは不透明なガラスをはさんで、顔が見えないように座り、その後、ガラスを引き上げ、両者が対面します。そして、能動的なグループと受動的なグループのどちらが視線を先にはずすかを調べると、能動的な人が視線をはずす割合が非常に高いという結果になりました。

これは、**先に目をそらすと、相手を不安にさせる心理的効果がある**ためです。会話中、目が合っているときは対等な関係が成り立っています。しかし、先に目をそらされると、そ

らされた側は「何かいけないことをしたのか」と、不安定な心理状況になるわけです。こうなれば、そらした側は**話のイニシアチブをとりやすくなります。**

普段から、視線をはずすタイミングを計るようにしておきましょう。ビジネスでの打ち合わせや商談中などのかけひきにも使えるはずです。

黒い!テクニック

上司の右側から近づいて、安心感を勝ち取る

これまで、相手と対峙したときの心理テクニックをいくつかご紹介しましたが、実は対峙するその前、相手に近づくときから心理的なかけひきははじまっています。そのテクニックが**「相手のどちら側から近づくか」**です。

人間にはどんなときでも無意識に心臓を守ろうとする心理が働いています。そのため、心臓のある左側に立たれると人は無意識に圧迫感を感じてしまうのです。まったく面識のない初対面の場合はなおさらです。それほど親しい間柄でないうちは、**相手の右側から近寄る**ことを心がけるとよいでしょう。

また、右手は多くの人の利き手なので、いざというときに手が使え、警戒心が薄れる効果があります。これは、デパートの接客やセールスマンの世界ではよくいわれていることです。

これを応用して、上司のところに企画を持っていくときや会社の慰労会などで上司にお酒を注ぎに行く場面でも、右側から近寄るように意識してみましょう。そうすることで、上

司に、**無意識にあなたへの安心感を持たせる**ことができます。

安心感を与えることができれば、企画も通りやすくなるでしょうし、お酒の席でも心地よい存在として認められるようになります。

日本語で「右腕」といえば、頼りになる部下のことを指すのは心理学的にも納得がいきます。いつでも上司の右側をキープし、上司になくてはならない存在になりましょう。

逆に、左側に立てば圧迫感を与えることができるので、「もう、付き合いたくない」と思う人がいれば、常に左側から近寄ってみるのもひとつの方法です。

黒い！テクニック

入室と退室のお辞儀でデキるヤツと思わせる

学生の頃、就職活動をしていて、「面接は最初の3分が勝負だぞ」とアドバイスされた経験はありま

せんか？　なぜ、最初が肝心かというと、**人は物事を第一印象で判断する**ため。そして、最初によくない印象を持ってしまうと、以降それを払拭するのはなかなか困難が伴います。なぜなら**人は自分の感じた第一印象を正しいと思い込もうとするため、それを証明するための情報を選んでしまう**傾向にあるからです。

このように**第一印象の情報が後々にまで強く残る作用**を心理学用語で**「初頭効果」**と呼びます。これに対して最後に得た情報が強く残ることを**「新近効果」**といいます。

例えば、講演を聞いた後、会場から出る際に同行した人と話題にしているのは、講演の最後に聞いた話だったという経験があるかと思います。つまり、最初と最後の印象をよくすれば、会った人に好印象を持たれるということになります。初対面ならなおさらです。

ビジネスでも初めてのクライアントに会うときは、**入室と退室のお辞儀が洗練されていれば、その印象が残る**だけに、「デキるな」と思わせることができます。そう考えると、最初に目を見て交わす挨拶である名刺交換の際の身のこなしも大切になってくるでしょう。

お辞儀や名刺交換は誰もが毎回当たり前にやっていることなので、新人のうちに鏡の前で練習しておくのもひとつの方法です。全体の印象を左右する、最初と最後をきっちりと決められるようにしましょう。

黒い！テクニック

主導権を握る魔法のオープニング握手

初対面での名刺交換に成功したら、思い切ってもう一歩踏み込んだあいさつをしてみることをおすすめします。ひとつのしぐさが相手との距離をグッと縮めることにもなります。それが**握手を求める行為**です。

握手はビジネスシーンでもさらりとオフィシャルにできるスキンシップです。日本ではあまり交わされることはありませんが、初対面でにこやかに近づいて握手を求められて悪い気を起こす人はいません。

握手をするもうひとつの意味は、心理学でいう相手の**パーソナルスペース**に入ることにあります。パーソナルスペースとは**人それぞれが感じる自分の縄張り意識ともいえる距離**のこと。満員電車が不快だと感じるように、見ず知らずの他人にパーソナルスペースのなかに入ってこられるのは誰でも嫌なものです。

アメリカの文化人類学者、エドワード・ホールは、このような相手との関係と距離感を4つに分類しています。

●エドワード・ホールが分類する〝4つの距離帯〟

①密接距離（intimate distance）：0㎝～45㎝

身体にふれあうことのできる距離。家族、恋人など、ごく親しい人のみに許されるが、それ以外の人がこの距離に近づくと不快感を伴う。

②固体距離（personal distance）：45㎝～120㎝

ふたりが手を伸ばせば相手に届く距離。友人同士の私的な会話を交わす際にとられる、ややくだけた関係性を表す。

③社会距離（social distance）：120㎝～350㎝

身体に触れることはできない距離。ビジネスのあらたまった場や上司と接するときにとられる。

④公衆距離（public distance）：350㎝以上

講演会など公式な場での対面のときにとられる距離。講演者と聴衆というように、基本的には相手と顔見知りでないときにとられる。

握手は②の関係性を自然に築くことになりますので、距離感がグッと近くなります。また、同じ握手をするのにも、**3秒くらいしっかりとした握力で握りましょう**。握られた相手は**あなたに積極的な印象を持ち、好意的に受け止めてくれます**。この**オープンニングの握手は信頼感を勝ち取り、会話の主導権を握るための巧妙な第一歩**です。利害関係が発生するビジネスシーンではなおさらのこと。交渉ごとを成功させたいときには、積極的な姿勢が功を奏します。

黒い！テクニック

プレゼンで相手をひきつけるオーバージェスチャー

「あの人のプレゼンはよかったな」と思うとき、それはきっと説得力があって、印象に残りやすいことがポイントだったのではないでしょうか。

このような印象を残すために必要なしぐさが、ちょっと**オーバーなくらいの身振り手振り**です。相手に熱意を伝えたいとき、仕込んできた内容で相手を引き込むのはもちろん、それをさらにアピールする手段として、**オーバージェスチャー**が効いてくるのです。

なぜなら、大げさなジェスチャーは相手をひきつける力をもっているからです。大物の政治家が演説をするとき、必ず手振りが大きくなります。それを見て、**頼もしい、力強い**という印象を持ったことがあるでしょう。

この効果を巧みに利用したといわれているのが、ナチス・ドイツの独裁者アドルフ・ヒトラーです。**自身の声がよく通るのと、聴衆の目をくぎ付けにする身振り手振りで、人々の熱狂的な支持を得ることに成功**したことは歴史が証明しています。

また、**大きな身振り手振りは自分自身をもリラックスさせる心理効果**があります。棒立ちでボソボソと話していたのでは、緊張はいつまで経ってもほぐれませんし、小さな声が尻つぼみになると、本当に聞き取りづらく、場の空気も悪くなるばかりです。

しかし、身振り手振りを大きくしていると、次第に気持ちがほぐれてきて、相手も聞き取りやすいので、時間が経つにつれてよりよい雰囲気になります。

最初は形からでよいのです。声を大きく張って、パフォーマンスのつもりでやってみる。そのうち、自分の型というものが見つかり、その頃にはプレゼンの名手になっていることでしょう。

黒い！テクニック

印象を左右するのは「アゴの角度」にあり

好感度の高い人は、会話のときだけでなく、そのほかのときでも、見ず知らずの人にもよい印象を与えているものです。その証拠に、道をよく尋ねられる人は頻繁に声を掛けられますが、逆にまったく道を尋ねられないという人もいます。

印象のよしあしを左右するのは**「顔の角度」**にあります。**なかでもアゴの突き出し方が重要です。**

これを証明した心理的な実験がカナダのマギル大学で行われました。実験ではＣＧを使ってアゴの角度を10度刻みで傾きを変えて、その印象の違いを測定。それによると、**アゴの角度が20度のときにとても快活でよい印象をもち、30度で横柄な表情に見える**という結果が得られました。

この結果からわかるように、顔の印象はアゴの少しの角度の違いでずいぶん違うものになるわけです。まわりを見回してみると、確かに何もしていないときの表情がどこか不満げな印象を与えている人と、いきいきとした印象を与えている人がいます。その違いのひとつが、このアゴのわずかな角度の違いと考えることができるでしょう。

「あの人はいつも元気で、気持ちがよいわね」――そんな印象を与えたければ、鏡の前で自分の**「20度の角度」**を研究してみてください。もちろん、そのときは**顔の表情もにこやかに保つ工夫**も合わせて行ってください。やはり、よい笑顔をしている人に人はひきつけられるものです。

黒い!テクニック

右上を見て「思慮深いヤツ」と思わせろ

会議や商談をしているとき、頻繁に沈黙があったり、沈黙の時間が長かったりすると相手が何を考えているのか、とても気になってくるもの。無言であるだけに、相手の手の内が読めずにどんどん緊張感が高まることもあります。

相手が何を考えているかを探るために、人々はいろいろな方法を考え出しています。そのひとつは、**相手の視線の行方を見て、考えていることを想像する心理テクニック**です。これは、人間の目の動きと脳の動きはつながっているという前提から導き出されたもの。人は目の動く方と反対の方角の脳を使ってものを考えているため、例えば、左を見ているときは右脳を、右を見ているときは左脳を働かせています。

この右脳と左脳の働きと方向を整理すると、**左を見ているときは直感や映像・イラストなどの創造的なイメージ**を膨らませていて、**右を見ているときは論理的な思考で物事を整理している**とされています。

また、心理学で**「アイ・アクセシング・キュー」**と呼ばれる理論によると、視線の動きが**上方は視覚的なイメージ、水平は聴覚的なイメージ、下方だと内的対話や体感のイメージ**を膨らませていると説明されています。また、**右は未来のことを、左は過去を振り返っている**ともいわれています。

実際に何を考えているかは、そのときの話題や状況とこの理論を照らし合わせれば、だいたいわかることでしょう。

逆に、この理論を知っていそうな人が商談や会議の相手なら、**右上を見て悩んでいるふりをすれば、よく頭を働かせて考えているな、と思わせられます**。また、すぐにでも却下したい企画ならば、**左方向に目を伏せればいい印象でないことを悟らせられます**。

少し高度なテクニックですが、しぐさで相手をうならせるスマートな方法といえるでしょう。

「見た目」で思考を惑わす魔法の心理術

「笑顔がキラキラしていて明るい人だな」「表情も服装もみすぼらしくて、さえないヤツだな」etc.――**人は他人の性格や能力を「見た目」で判断しがち**なことについて、異論を唱える人はいないでしょう。とくに初対面の場合、相手の情報を何も知らなければ、見た目で判断して、相手を「こういう人だ」と決めつけてしまう傾向があります。例えば、茶髪の若者を見て、「チャラくて不真面目なヤツだろう」、スーツを着てメガネをかけ、七三分けにした人を見て「まじめで堅物な人だろう」と自分の勝手な思い込みで判断してしまうことがあります。

これを心理学では、**「ステレオタイプ効果」**といいます。ステレオタイプは、ときにうまく当たることもありますが、当てはまらない場合はしばらくの間、誤解が生じることになります。

アメリカのラトガース大学のコーエン氏は、ステレオタイプによる偏った認識を示す実験を行なっています。被験者にはある女性の日常生活を撮影した15分間のビデオを見せるのですが、事前に被験者の半数には女性が「司書」だと説明し、もう一方には「ウエイトレス」

だと説明しておきます。

実際にはこの女性は、司書のステレオタイプに属する特徴を9つ、ウエイトレスのステレオタイプに属する特徴を同じく9つ備えています。そして、数日後、ビデオの内容を被験者に聞いてみると、知らせておいた職業に当てはまる特徴がより多く報告されました。

私たちはいつのまにかステレオタイプを使って人や物事を判断しています。これを前提にすると、**初対面の人と会うときは、自分の見てもらいたい印象の見た目をしておくことが大切**だとわかります。

ライターを職業にしているある男性は、普段はジーンズなどラフな格好で仕事をしていますが、初対面の人に会う日やインタビューがある日は必ずスーツを着ると決めています。初対面の人に「きちんとした人」という印象を与えたいからです。ときに、**見た目を演出することは自分の印象を高めることにつながります**。普段から、この点を意識して見た目に気を配りましょう。

相手を惹きつけるための表情とは？

人によい印象をもってもらうためには、格好だけでなく、表情も大切です。**表情で好印象を抱かせたいなら、自然な笑顔を作れるようにするのが一番**です。笑顔には人の気持ちをなごやかにさせる効果があります。

そのいい例がテレビで観るアイドルたちです。彼女たちはどんなに疲れていても、ファンやテレビカメラの前ではきっちり笑顔を振りまきます。それによってアイドルを見ている人たちの表情もつられて笑顔になるのです。

元ＡＫＢ48の前田敦子さんはオーディションのとき、とても緊張していて歌い終わったときの表情が暗かったそうです。しかし、質問の最後にニコッと笑った顔がすごくかわいかったとか。彼女の笑顔は審査員をとりこにし、その笑顔ひとつでオーディションに合格したのです。そしてご存知のとおり、前田さんは国民的アイドルグループと呼ばれるＡＫＢ48で一番の人気者になりました。魅力的な笑顔を持っているというのはひとつの才能にすら値するのかもしれません。

笑顔のパワーについては、心理学の実験でも明らかにされています。イギリス・アバディーン大学のリンデン・マイルズ博士は、男女３人ずつのモデルの写真を用意し、それを被験者である男女40人に見せて、反応を調べました。その結果、写真の顔が笑顔だった場合、写真の顔が無表情だったときの20倍も写真への注目度が高かったのです。このように、**笑顔には人を惹きつける効果がある**わけです。

また、笑顔はその人だけでなく、まわりにも伝播していくものです。あなたも笑顔を武器にして、まわりの人を虜《とりこ》にできる印象を手に入れてください。

色を巧みに使い分けて〝場〟を制する

アメリカの歴代大統領には、ここぞというときの勝負服があるのをご存知でしょうか。それが**「白いシャツ」「紺色のスーツ」「赤のネクタイ」**です。このコーディネートは、色の特徴と効果を最大限に発揮させたものです。つまり、色にはそれぞれの特性があり、効果が隠されているといえます。

アメリカ合衆国大統領の勝負服は、**白いシャツで清潔感や上品さ・永遠をイメージさせ、紺色のスーツで冷静さや賢さ・男性らしさ、赤のネクタイで情熱を表現**しています。色のバランスも考えられており、全体としてはオーソドックスな安定感を与えつつ、ネクタイで情熱的な赤を利かせた効果的な組み合わせとなっているのです。

このほかにも、心理学的に色の特性を調べてみると、**緑は安定と調和、黄色は希望と光、紫は高貴と欲求不満など、色によって特定のイメージを想起**させます。

人と会うときに、色を状況に合わせて上手に使い分けすることができれば、その場にあったイメージ戦略を立てることができます。

例えば、初めてのクライアントで担当者にあいさつをするときには、淡いグリーンのシャツを着て安心感を与え、プレゼンという段になったら、赤いネクタイを締めて勝負に出ます。また、謝罪という場面では青やグレーのネクタイで相手の気持ちを静める効果を狙い、夜の改まった席のパーティーなどに呼ばれたら、紫をポイントにしたコーディネートで優雅な品を醸し出す、といった具合です。

逆に、**色は自分自身の心理状態にも影響を与えます**。それなので、例えば、やる気を出したいときに赤の洋服を着る、冷静になりたいときには青をポイントにする、さらには緑の洋服を着て気持ちを穏やかにする、紫の洋服で上品な気分を演出するということも可能です。

色を上手に操って、他人と自分の両方に好影響をもたらしましょう。それぞれの色による効果と最適なシチュエーションは、別ページで詳しくご紹介します。

「ユニフォーム効果」に気をつけろ！

制服姿のＣＡを見て、まだサービスを受けてないのに「気が利く人なんだろうな」と思ったり、逆に急患で慌てて診療をしてくれた医者が白衣を着忘れていて不安になったという経験はありませんか？　制服は、ある種の**信頼感や力強さのシンボル**になります。

こうした制服が持つパワーのことを、心理学用語で**「ユニフォーム効果」**または**「ドレス効果」**と呼びます。

警察官だと思って道を尋ねたら、その人がまったく道を知らず、おかしいと思ったら、「〇〇警備保障」というワッペンがついていたという経験をした人もいるでしょう。警備員のユニフォームが警察官と似ているのは、ある意味、警察官のような威厳あるイメージを持たせる効果を狙っているのではないかと考えられます。

このユニフォームによる力は心理学でも証明されています。アメリカ・マサチューセッツ州クラーク科学センターの心理学者レオナルド・ビックマンは次のような実験をしました。

3種類の扮装をした人それぞれが歩行者を呼び止めて、いろいろな頼みごとをします。ただし、それぞれの服装には違いがあり、その特徴は次のようになります。

①ジャケットにネクタイのビジネスマン
②白いエプロン姿の牛乳屋
③警察官に似たガードマンの制服姿

歩行者は彼らから、「こちらの看板を移動してくれませんか？」「小銭がないので、1セントだけくれませんか？」「落としてしまったバッグを拾ってもらえませんか？」という頼みごとをされます。

すると、歩行者に頼みごとを引き受けてもらえたのは、**圧倒的に③ガードマンの制服という結果になりました。**制服ひとつで、そこまで違いが表れるわけです。

もし、学校の教師の場合、理科や保健を担当して

いるなら白衣を着たり、体育を担当しているならジャージを着たりすることで、ユニフォーム効果が出ます。または、浄水器や消火器のセールスマンだった場合は、作業着を着ることでユニフォーム効果を出すことができるでしょう。逆に、そのような効果を狙って**ユニフォームを利用した詐欺を働く人もいるので、服装だけにとらわれないでおく心構えも大切**です。

黒い!テクニック

いざというときには「勝負の赤」で情熱的に迫る

色を状況によって使い分けることで、見た目のイメージをアップさせることができます。今回はそのなかでも、赤の効果についてご説明します。「赤」の色をパッとみて、あなたはどんな気持ちになりますか?

赤は心理学的に、やる気を起こさせる色として知られています。私たちが「元気」だと思っている状態は、脳内物質のノルアドレナリンが血液や心拍数を上げて覚醒状態が促されているとき。赤という色には、その**交感神経を刺激し、アドレナリンを分泌させる効果がある**といわれています。

ですから、「ここぞ!」という勝負の日やプレゼン、大切な商談があるときは、男性なら**赤いネクタイ**を締めてやる気と情熱を見せるのです。相手にもそれが伝わるだけでなく、**自分自身にも気合いが入ります。**

しかし、いくら勝負のときでも冷静な交渉が必要な場面では、相手の興奮や対立状態を招きかねませんので、赤は控えめにしたほうがよいでしょう。自分のやる気だけを引き出したいというときは、**赤のパンツを履く**のがおすすめです。直接、見えなくても、履いていると思うだけでもモチベーションが上がります。

また、赤は人の注意を引く色としても知られています。ユニクロ、NTTドコモ、JAL、三菱グループなどでは、企業ロゴに赤が使われたり、スーパーの価格表示が赤なのはそのため。勝負のプレゼンのときは、服装だけなく、資料の大事な部分に赤を使うと読む人の注意を引きつけることができます。また、勉強をしていてどうも眠気がひどくてやる気がしないというときには、一時的に赤ペンを使ってノートに重要事項をまとめるのもおすすめです。たかが色の違いですが、それなりに効果があるものです。ぜひ一度、試してみてください。

黒い！テクニック

「黒」で〝唯一無二の存在感〟を演出する

赤の次に紹介したいのが「黒」の効果です。黒というのはベーシックな色で、たいていの書類の文字は黒ですし、この本の字も黒で印刷されています。つまり、どんな場合でも用いられるベーシックな色のひとつということになります。

しかし、だからといってどこかに埋もれてしまうような色ではありません。むしろ、**どんな場所でも存在感を放つのが黒**という色です。そういった意味では、信頼を置かれる唯一無二の存在になりたいというときに頼れる色ともいえます。

黒は感情を揺さぶるような情感的な色ではありませんが、**威厳や風格、重厚感を表現**することができ、その人に確かな価値を与えてくれるのです。

とくに全身を黒のスーツでパリッと決めると、誰がみても圧倒されるものがあります。ビジネスでスーツというと紺色が定番ですが、だからこそひと味違う黒で差をつけるのも手。「ここは絶対に譲れない」という交渉のときに黒を基調としたスタイルで挑むと効果的です。**相手に対して威厳を示し、交渉でも取引先に対して、有利に物事を進めることができるはずです。**

また、黒といえば総理大臣、裁判官、教授、社長など社会的地位が高い人が着用しているイメージもあります。ある種の洗練された風格を示す色としても捉えることができます。

ほかにもフォーマルな席や結婚式、葬式などにも黒が用いられています。このことからひと昔前は黒というと、どちらかというと冠婚葬祭のイメージが強く、

ビジネスには好まれないとされてきました。しかし、現在はファッションも多様化し、都会的な印象の黒のジャケットや黒のスーツがデザインされ、以前のようなフォーマルや喪服といったイメージが払拭されてきています。自分の体型に似合うおしゃれな「黒スーツ」を一枚持っておくのもおすすめです。

黒い!テクニック

「青」を使いこなす者はビジネスを制する

「青」は寒色系の代表でクールさや冷静さのイメージを持ち合わせます。海や空の雄大でさわやかなイメージがあり、すがすがしく好感の持てる色です。色彩心理学でも、**青は気持ちを沈静させ、集中力を高める効果がある**とされています。また、「好きな色は？」と聞かれると、日本では男女ともにランキング上位にくる色で、総合的に最も人気があります。

そのため、企業のコーポレートカラーにも採用されています。一例をあげると、ＮＴＴ、みずほ銀行、ＡＮＡ、日産自動車など。赤が王道をイメージさせるのに対して、**青にはクリーンで挑戦するイメージ、信頼感のあるイメージがある**ことが採用している理由として挙げられます。

また、青い色を見ると体温が下がり、落ち着いた気分になるといわれています。ですから頭を使うオフィスや学校には適した色とされています。一方で冷静になりすぎるという傾向もありますので、消極的にならないよう適度な色使いが大切です。

ビジネスシーンでの服装においては青色や紺色は定番色。コミュニケーションを円滑にし、知的なイメージを与えられるからです。自分自身を分析してみて、自分の強みが知性にあると思った人は、紺やブルーをイメージカラーとして必ずどこかに身に着けるというアピールの仕方もおすすめです。

ちなみに濃紺のスーツは、アメリカの大統領候補が選挙演説をするときの定番となっています。これも信頼感や安心感がポイントになっているからです。また、ネクタイの色選びにおいて青や水色は、**発言をマイルドにする効果があり、スムーズな人間関係を築くのによい**とされています。ビジネスを制するなら、青色や紺色、水色を中心としたコーディネートのセンスを磨くとよいでしょう。

黒い！
テクニック

親密さを引き出す「黄色」で裏情報を手に入れる

ビジネスの現場は日々、コミュニケーションの連続です。「親密なやりとりでビジネスをスムーズにしたい」――そんな人は「黄色」をポイントに使うとビジネスがうまくいく可能性が高くなります。

心理学的に**黄色には、人を明るくし、身近な親近感を与え、人の心を解放的にする効果があります。**そのため、**コミュニケーションカラー**と呼ばれているほどです。

日常的な風景のなかで黄色が取り入れられているシーンといえば、スーパーのＰＯＰや広告の文字、標識が思い浮かびます。黄色には人の気持ちを明るくさせるほか、注意を促す効果、割安感を与える効果があるからです。

とくに**背面を黒、青にすると反対色になるため、より引き立ちます**。プレゼン資料を作るとき、凝った演出を加えたい場合は覚えておくと効果的に映ることでしょう。

黄色で見た目の効果を上げたいときに最適なシーンは、**初対面の人に会うとき**です。新規顧客やクライアントへのあいさつには、コミュニケーションカラーとしての効果で打ち解けやすい雰囲気を作り出すことができます。新しい人間関係がはじまるというときに、ネクタイを黄色にしたり、普段から手帳などの小物に黄色を取り入れるのもいいでしょう。

また、社内の異動後の部署や転職先への出社の初日に黄色を取り入れると、自然と周囲に溶け込めるという効果も期待できるでしょう。

相手へ与える影響という点では、明るい色合いで解放的な気分になることから、お互い陽気になり**口を軽くさせる効果**もあるといわれています。秘密や裏話もひとつの情報です。フランクな雰囲気を作ることで会話を広げ、たくさんのコミュニケーションや情報を得たいときには、黄色を有効に使いましょう。

黒い！テクニック

謝罪の場では「グレー」で気配を消す

「今日は気分が乗らないな…」そんな心境のときに、無意識に「グレー」のスーツを手にとっていた、という経験はありませんか？　実は心理学的に考えると、この行動はいたって賢明な判断なのです。

意外かもしれませんが、**グレーはいわゆるヒーリングカラーのひとつ**。ほどよく刺激をやわらげる効果があり、神経をすり減らすような仕事をしている人はグレーを好む傾向があるといわれています。

また、グレーは**仕事の能率を上げる色**としても知られています。オフィスのインテリアや事務用品、パソコンなどにグレーが多いのはこのため。しかし、仕事の能率を上げると同時に気分を静める効果もあるため、クリエイティブな発想が必要なオフィスには向かないでしょう。

グレーが最大の効果を発揮するシーンは、**謝罪の場**です。例えば、企業が行う謝罪会見で、3人の人が頭を下げているとしたら、一人はグレーのスーツを着て、一人くらいはグレーのネクタイを締めているものです。なぜなら、色彩心理学では、**グレーは相手の警戒心をやわらげながら穏やかな印象を与え、相手を引き立てる効果がある**といわれているからです。グレーのスーツやネクタイ・シャツは、怒りを静めるには最適というわけです。自分の個性を消す色でもあるので、目立ちたくないと思ったときにグレーを着れば、ひっそりとやり過ごすことができるでしょう。

しかし、逆におしゃれに気を配りたいというときにも利用できるのがグレーという色。派手な色を引き立てる効果があるので、使いようによっては洗練されたコーディネートで自分のセンスをアピールすることができるでしょう。また、同じグレーでもウール系の素材は落ち着きを与えますが、サテン系のグレーなら華やかさと落ち着きを同時に手に入れられます。結婚式で新郎がグレーのタキシードを着るのもこのため。

グレーを様々なバリエーションで着こなすことができれば、周りの人たちにおしゃれ上級者という印象を与えることもできるでしょう。

黒い!テクニック

メガネのタイプで印象を変幻自在に操る

ビジネスシーンにおいて、男性が外見でイメージをそつなく変えるのはなかなか難しいと思っている方は多いことでしょう。スーツの色合いはダーク系が多く、髪の毛も短いので、そこまでアレンジも効きません。しかし、あるアイテムを使えば**自分の印象をガラリと変える**ことができるのです。そのアイテムが**「メガネ」**です。

ひと昔前までメガネといえば、レンズが厚く目の印象を薄れさせるものでしたが、現在のメガネはフレー

ムの形や素材、カラーなどの種類も多く、手軽に買えるリーズナブルなものも増えています。シーンに合わせて変化を楽しみつつ、見た目の印象を変えてみましょう。

俳優も役作りに合わせて、メガネを変えています。俳優の福山雅治さんは、テレビドラマで頭脳明晰な物理学者を演じるのに「縁のないメガネ」をつけていました。縁のないメガネは**インテリな印象**を与えると同時に、個性的でひとクセある感じを出せます。まさに役柄のイメージに見事にマッチしていました。

メガネはタイプを選ぶことによって印象を変えられます。**黒縁メガネ**は、目の範囲を広く見せ、知的さと印象の残りやすさを演出できます。プレゼンなど多少パフォーマンスが必要な場面で効果を発揮します。反対に**細い縁のメガネ**はソフトな印象を与える効果があります。クライアントや取引先の担当者が女性の場合にかけていくとよいでしょう。

縁のタイプだけでなく形も印象を左右します。**四角い形のメガネ**は会議やプレゼンなど説得力が必要なシーンで活躍してくれます。人は細い顔をしている人に信頼を感じるもの。四角い形のメガネは顔をシャープな印象にしてくれるので信頼感が増します。

反対に**丸い形のメガネ**はその場を和やかにしたいときに適しています。丸い形は、顔を親しみやすい印象に変えてくれる効果があるため。相手と打ち解けた関係になることができます。

ビジネスのシチュエーションに合わせて、**メガネを変えて見た目の印象を操作**できるようになれば、かなりの心理テクニック上級者といえるでしょう。

黒い!テクニック

左右の表情をシーンで使い分ける

顔の印象が表情や角度で変わるという話をしましたが、さらにもう一段上のテクニックに、**顔の左右の表情を使い分ける**という方法があります。

まず、鏡の前で自分の顔を観察してみてください。**右と左で筋肉の付き方や顔のハリ、目の大きさなど意外と違う点があることに気付く**と思います。

さらによく見ると、右を向いたときと左を向いたときで顔の印象に違いがあるのがわかります。鏡の前で右側と左側を交互に紙で隠すとわかりやすいでしょう。

たいていの人は、自分の**右側がシャープで知的**な感じ、**左側がふんわりと優しげ**な感じを与えます。右側がオフィシャルな建前の顔、左側をプライベートな本音の顔と表すこともできます。

これを利用して、自分の顔をビジネスなどのシーンで使い分けるという方法があります。相手を説得

したり、訴えかけるときなどは強さのある右側の顔を見せ、初対面のあいさつや相手と打ち解けたいときは左側を見せるのです。自分の顔はひとつですが、ある意味、**ふたつの顔を使い分けることができる**というわけです。

実行するときには、ずっと右側を向いたり、角度をつけたりするというのは不自然な動きになります。椅子が動かせるならば、真正面ではなく相手のやや右あるいは左になるように、ずらして座るほうがいいでしょう。

黒い!テクニック

矛盾した服装で「気になる存在」にさせる

この「見た目」の心理テクニック解説の締めくくりとして紹介したいのが、**「見た目」だけで、自分を気になる存在にさせる方法**です。「気になる」というのは、何も恋愛感情だけに限りません。一目置かれる存在になるという意味でもありますので、いろいろな場面で使うことができます。

「気になる」ためには**違和感を与える**という行為が効きます。これが巧みに取り入れられているのが広告です。広告は、人に注目されなければ意味がありませんから、様々な仕掛けが隠されています。

例えば「小さいところが、大きいのですね」「食べるダイエット」というコピー。ふたつとも矛盾した言葉が入っているのでとても気になります。でも、「もしかしてこういう意味かもしれない」と、想像できるギリギリの範囲で成立しています。

こうした矛盾した内容を「こうではないか」と探る状態を、心理学では**「認知的不協和」**と呼びます。自分のそれまで感じていた観念がくつがえされると、人はどうにかそれを補正しようとします。その補正する作業が「気になる」状態にあたります。

このような人の心理を自分の見た目に活かすには、服装に**「外しのテク」**を用いればよいのです。全体の着こなしはコンサバっぽいのに、メガネだけは最先端のものを付けている、すごくキメたファッションなのにメモをとるのが鉛筆など、何かひっかかるポイントを作り出すのです。

または、いつもフォーマルなスーツで出勤しているのに、休日出勤したときにはアロハシャツを着てみるなど、年に数回程、いつもとは違った面を周りの人達に見せると、「あの人はただ真面目なだけの人ではない」「何か魅力があるはず」と探り出したくなります。

いつも同じような見た目をしていると安心感を与えられる反面、つまらない人という印象にもなりかねません。**「違和感」を利用して、周りから一目置かれる存在を目指してみてはいかがでしょうか。**

会議、プレゼン、交渉etc.相手に「YES」と言わせる禁断の心理術

社会人なら誰でも、会議やプレゼンテーション、先方との交渉の場面などで、自分の要求を受け入れてもらうことや、思い通りの回答を相手の口から引き出すことに苦心していることでしょう。「誠意を見せれば伝わるだろう」「ひたむきにやっていればいつかは快く受け入れてくれるはず」というような思いで日々邁進している方もいると思います。しかし、業務の効率化やライバル企業との競争などに追われる現代のビジネスパーソンは、心理テクニックを武器にして、**自分の主義・主張を相手に伝え、確実に「YES」を引き出すこと**が賢い選択です。この章では、社内外の様々なやり取りの場面で応用できる、禁断の心理テクニックを紹介します。

アリストテレスが提唱した確実に「YES」を引き出す説得手法

物事を相手に説明し納得させるために必要になるのが**「説得」**という働きかけです。古代ギリシアの哲学者で「万学の祖」といわれているアリストテレスは、相手を説得する際には次の5つのステップを踏むことがポイントだとしています。

●人を説得する5箇条

①聞き手の注意を引くストーリーやメッセージを提示する
②解決あるいは回答が必要な問題や疑問を提示する
③提示した問題に対する解答を提示する
④提示した解答で得られるメリットを具体的に説明する
⑤行動を呼びかける

時間が限られ、様々な案件を検討しなければならない会議やプレゼンテーションの場面では、①で指摘されているように、聞き手に興味を持たせるような〝フック〟を話のなかに盛り込まなければ、相手も興味を持って聞いてくれません。その上で相手の問題点とそれに対する解決策を提示し(②③)、問題が解決することで得られる効果を具体的にイメージさせる(④)、行動に出ることをうながすのです(⑤)。

こうした手順をしっかりと踏めば説得力が高まるわけですが、アリストテレスは人を説得する際には、さらに次の**3つの要素**が備わっていることが重要であるとしています。

●説得の3要素

①ロゴス（論理）：論理的に証明することで説得する

②パトス（感情）：聞き手の感情を誘導することで説得する

③エートス（性格）：話し手の性格や信頼度により説得する

例えば、「植物由来の成分でできているので、身体や環境にもやさしい洗剤です」といった広告コピーがあった場合、、これは①の論理的な説得になります。また、「通常は20万円のところ、本日購入いただいた方のみ、この商品を10万円でご提供します」という売り文句は、「いま買わないと安く手に入らないかも」という消費者の不安な心理に働きかける説得（②）になります。さらに、事件や事故などが起こったときにテレビに専門家として登場する大学教授が、難しい専門用語を使って解説する場面などは、エートスを利用した説得（③）といえます。

説得にはこうした要素があることを踏まえた上で、相手から確実に「YES」を引き出すことができる具体的な心理テクニックを駆使していくことが重要です。

黒い！テクニック

あなたに関心がない相手を説得する「アンチ・クライマックス法」

あなたが伝えたいことを、先に言うか最後に言うかも、説得においては意識しておく

ロゴスによる説得
植物由来ですから
からだにも無害です
なるほど…
パトスによる説得
この値段、いまだけ。
い・ま・だ・けですよ
ヒソヒソ
は…はぁ…
エートスによる説得
それは○×理論といって
ハーバード大学の
研究で…
そうですか…

必要があります。

心理学では、当たり障りのない話をしてから、重要な話やお願いごとを切り出す方法を**「クライマックス法」**と呼びます。一方、単刀直入に重要な話を初めにしてしまう方法を**「アンチ・クライマックス法」**と呼んでいます。

これらの説得方法は、相手がどんなタイプの人間なのか、また説得をするシチュエーションなどによって、使い分けると効果的です。

例えば、話の前置きにこだわるようなタイプの人や、相手があなたに興味を持っていて、**話の初めから終わりまでしっかりと聞いてくれそうだ**と判断できる場合はクライマックス法。反対に、**相手があなたの話にそれほど関心を示していない**ような場合や、合理的なモノの考え方をするようなタイプが相手のときは、アンチ・クライマックス法を使ったほうが効果があると考えられます。

プレゼンテーションをする相手があなたの企画に注目している場合などは、クライマックス法で話を進めていったほうがその場も盛り上がるでしょう。しかし、電話営業でアポイントメントを取るときには、前置きを抜きに本題から伝えるアンチ・クライマックス法を使ったほうが、無下に電話を切られる可能性も低くなります。

クライマックス法、アンチ・クライマックス法の効果を高めるためにも、その時々の状況や相手の立場をしっかりと認識することが大切です。

黒い! テクニック

「誤前提暗示」の罠にはめて相手をコントロールする

ありもしない前提を相手に伝えたうえで、相手の判断を自分の思い通りにコントロールする「誤前提暗示」と呼ばれる心理テクニックもあります。

例えば、ファストフード店などで「トッピングはポテトになさいますか、それともサラダになさいますか」などと言われると、食べようと考えてもいなかったのに「じゃあポテト…」と答えてしまった経験はないでしょうか。

これは、人がもっともらしい前提や選択肢を与えられると、それ以外の選択肢があるにも関わらず、**与えられた選択肢のなかだけで物事の判断を下してしまいやすい**という人間心理を応用しているのです。

トッピングをつけることがあたかも当たり前の前提であるかのように相手を〝**暗示**〟にかけることで、ポテトかサラダのどちらかを選ばなければという心理にさせるのです。

手伝ってくれるのは資料のコピー?
それともテキスト入力ですか?
資料
じゃあコピーします…

誤前提暗示は、周りの同僚に自分の仕事を手伝ってほしい場合などにも応用できます。「オレの仕事を手伝ってくれよ」というふうに漠然とお願いするのではなく、「このコピーか、テキストの入力をやってくれない？」と、手伝うことが当たり前のような**二者択一式の問いかけ**をするのです。

冷静に考えれば、「資料のホッチキス止めをやる」「資料にヌケがないかチェックする」など、ほかにも選択肢はあるはずなのに、このようにふたつの選択肢を封じこめてしまうことを**「二分法の罠」**とも呼びます。こうして、あなたが手伝ってほしい仕事を相手が選ぶようコントロールするのです。

また、二者択一式のお願いをするときは、**本当にお願いしたいことを選択肢の最後に持ってくる**とより効果があるといわれています。

これは、人間心理では、複数の事柄をリスト的に提示されると、それぞれの記憶に差異が起こり、終わりに近い事柄のことをよりはっきりと記憶しているという**「系列位置効果」**が起こるとされているからです。

黒い！テクニック

「一貫性の原理」を逆手にとって無理難題を押し付ける

ある日突然「十万円貸してほしい」と知人や友人に言われたら、冗談だと思って断るか、貸してあげるにしても「どんなことに使うのか」「いつ返してくれるのか」などと警戒する方がほとんどでしょう。

しかし、「百円貸して！」と言われると、とくに気にも止めず貸してしまいますし、「百円のついでにタバコももらっていい？」というふうに追加でお願いをされても、ついつい「いいよ」と言ってしまいます。

このように、人は **〝小さなお願い〟に対しては、要求を受け入れてしまいやすく**、そうした要求を受け入れてしまったことで、新たな要求にも「ＹＥＳ」と答えてしまいがちです。これは、**自分自身の行動や態度は一貫したものとしていたいという「一貫性の原理」**が心のなかで働くからといわれています。

この心理作用を利用して、**小さな要求から大きな要求まで受け入れてもらえるようにするテクニックが「フット・イン・ザ・ドア」**と呼ばれる心理テクニックです。

フット・イン・ザ・ドアという呼び方は、いったん開けられたドアに足を挟み込めば、相手は閉めることができず、どんどんなかに入り込んでいけるというイメージがもとになっているといわれています。例えばこんなシチュエーションです。

A「ごめん！　この商品の過去のＴＶＣＭ探してもらえないかな」
B「え？　ああ、いいよ」
A「それと、そのＣＭを年代順にリストにしてもらってもいい？」
B「まあ、ついでだからいいけど…」

A「で、リストができたらCMをDVDに焼いて、リストと一緒に○○さんのところにバイク便で送っておいてほしいんだ」
B「え……いいけど、別に……」

このようにして、確実に受け入れてもらえそうな小さな要求に「YES」と言わせてから、少しずつ要求を高めていき、目的となる大きな要求も受け入れさせてしまうのです。
フット・イン・ザ・ドアと同じように、一貫性の原理を利用した**「ロー・ボール・テクニック」**と呼ばれる説得のテクニックもあります。これは、相手にとって**都合の悪い要求を隠しておいて、相手が自分のお願いをいったん受け入れたら、その要求を持ち出す**というものです。最初に「YES」と言ってもらいやすそうな「誘い玉＝ローボール」を投げることから、このような呼び名がついています。次の会話はその一例です。

上司「残業お願いしたいんだけど。簡単だからさ」
部下「あ、いいですよ。なんですか？」
上司「明日の会議の資料なんだけど、引用しているデータに間違いがないか、最初から最後まですべてチェックしてほしいんだ」
部下「は、はい……」

一度、誘い玉を受け取ってしまったからには、次にくる玉が予想外のものでも引っ込みがつかないので、しかたなく受け取ってしまうという人間心理を利用したテクニックといえます。

黒い!テクニック

人の罪悪感を利用した悪魔の「ドア・イン・ザ・フェイス」テクニック

小さなお願いからはじめる「フット・イン・ザ・ドア」とは反対に、**過大な要求を最初にぶつけて断られてから、本命の要求を持ち出す「ドア・イン・ザ・フェイス」**という依頼法もあります。この呼び方は、自分の顔の前でドアがピシャリと閉められてしまうというイメージからきているといわれています。

例えば、上司に「こんなに働かせるなら、せめて給料を上げてくださいよ」と交渉しても、「それは難しいよ。ほかの人も同じような条件でがんばっているんだから」と受け入れてくれないでしょう。しかし、そのあとで「それならばこのプロジェクトが終わったら、まとまった休みをとらせてくれませんか」と本命のお願いを持ち出すと、前向きに検討してくれる可能性が高くなります。

これは、**相手の要求を断ると人は罪悪感を持つ**という人間心理や、相手が譲歩したからには自分も譲歩してあげなければならないという**「返報性の原理」**を応用した心理テクニックです。

もし、過大な要求だけではなく本命の要求も断られてしまったら、テンポよく代替の要求を相手にぶつけてみることがポイントです。「まとまった休みがダメなら土日を入れた連休でも構いません」「この日は先方も動かないでしょうから、休むことができるはずですよね」などと続けていければ、相手はいずれ「YES」と答えてくれるはずです。

ドア・イン・ザ・フェイスによく似た効果に、**「コントラスト効果」**と呼ばれる心理現象があります。コントラスト効果とは、**人間が無意識のうちに複数の選択肢を相対的に比較する**ことを利用した心理テクニックです。例えば、レストランやカフェで次のようなメニュー表記を見ることがあります。

【①のレストラン】
Aコース　2000円
Bコース　1500円
Cコース　1200円

【②のレストラン】
Aランチ　1500円
Bランチ　1200円

こうしたメニュー表記の場合、①のレストランではBコース、②のレストランではBランチが客からのオーダーを受けやすいとされています。どちらのレストランにも同じ値段設定のメニューがあるにも関わらず、①のレストランでは1500円よりさらに上の値段設定があるために、**Bコースが相対的に安く感じられる**からです。

このコントラスト効果は、不動産屋が賃貸物件の内見に客を連れていくときにも活用されているといわれています。同じ価格帯の物件をいくつか案内するときに、初めに築年数が古く条件の悪い物件を見せてから、不動産屋が勧めたいと考えている物件を紹介すると、初めに見せた物件の悪いイメージといま見せている物件とのコントラストが鮮明になり、たいして条件がよくなくても契約につながりやすくなるというわけです。

新規企画のプレゼンテーションの場においても、**予算的に無謀なA案、現実的で一番通したいと思っているB案、ほかのふたつに比べて企画自体のクオリティが低いC案**など、本命と別にダミーの企画案もあらかじめ用意しておけば、コントラスト効果が働いて、一番通したい企画にすんなり「YES」と言ってもらえる確率も高くなるでしょう。

黒い!テクニック

「接種理論」で競合を蹴落とす

インフルエンザなどの感染症に対して免疫をつけるために、ワクチンを投与する予防〝接種〟を受けたことはあるでしょう。心理学の世界でもアメリカの社会心理学者であるウィリアム・マクガイアが提唱した**「接種理論」**と呼ばれる原理があります。

これは、ある事柄についてあらかじめ反論を受けて免疫をつけておくと、いざ反論を受けたときに説得されにくくなるという考え方です。例えば「毎朝、朝ごはんを食べることは健康によい」は〝自明の理〟として広く受け入れられているために、反論に対する免疫がありません。ですから「実は朝ごはんは健康によくない」と攻撃されてしまうと、簡単に説得されてしまいます。しかし、事前に反論を経験していたり、「その反論は誤りである」という情報を頭に入れておくと、「朝ごはんは健康に悪い」と言われても抵抗ができるということです。

この原理を利用して、自分たちのマイナス要素をあらかじめ相手に伝えて免疫をつけさせておけば、**いざマイナス要素が露呈しても、それを受け入れてもらいやすくすることが可能**なのです。

例えば、営業先の社長に「弊社にコピー機を任せていただければ、他社よりも価格は数千円高くなりますが、万が一のトラブルの対処は万全ですし、ほかのオフィス機器のサポートもまとめて対応することができます。何社もの業者とのわずらわしいやり取りから解放されるわけですから、その分の時間や労力を日々の業務に向けていただけるのです」というように伝えることができたとします。そうすると、例えばその社長がほかの業者からあなたの会社は価格が高いと指摘されたとしても、トラブル対応の万全さや、その他サービスの充実具合などを条件に、あなたの会社と契約をしてくれる可能性が高くなります。

こうした場合には、ライバルが比較対象にしてきそうなポイントをしっかりと認識しておき、**自社のウィークポイントだけではなく、それを補強できるようなメリットも前もって**

伝えておくことが肝心です。

黒い！テクニック

会議を思い通りに操る「スティンザー効果」

皆さんは社内で毎週のように行われる会議に、どのような姿勢で臨んでいるでしょうか。アメリカの心理学者であるスティンザーは、会議など複数の人間が集まる場において、次のような法則が見られるという研究結果を残しています。

- **以前、会議などで議論を戦わせた人間は、その議論相手の正面に座りたがる**
- **ある発言の次に発せられる発言は、反対意見である場合が多い**
- **会議のリーダーの力が弱い場合は、参加者は正面にいる人間と話したがり、リーダーの権限が強い場合は、隣同士で会話がされる場合が多い**

この3つの効果は**「スティンザー効果」**と呼ばれています。会議の出席者はもちろん、リーダーや進行役はこの法則を踏まえて、正面に座ってきた相手には対等な議論ができる心づもりでいる、意見が出たときには反対意見だけではなく賛成意見も出やすいような働きかけをする、参加者の私語がどのようにされているかで会議の流れを読む・コントロールするといった行動をとることが、円滑な会議を行ううえでのポイントといえるかもしれません。

また、会議の流れはテーブルの形や出席者の座る位置にも影響を受けるとされています。例えばテーブルの形は、**角テーブルよりも丸テーブルのほうが力関係の優劣が生まれにくい**ため、自由に出席者から意見を出してもらいやすいと考えられています。

反対に角テーブルの場合は、座る位置によって次のような傾向が現れるといわれています。

P155のイラストのように、テーブルのA・Eには出席者全体を見渡すことができるためにリーダーが、C・Gには出席者の発言を促してその場を活性化させたり、話の流れを整理して会議をスムーズに運べるようなファシリテータータイプの人間が座るのに適しているとされています。

また、そのほかの席に座る出席者は、会議に積極的に参加する意識が低いと見なされることがあるようです。

自分のアイデアを通したい場合や、重要な会議で役員や上司に好印象を与えておきたい場合などは、こうした点に注意してみるとよいでしょう。

黒い！テクニック

「ランチョン・テクニック」でポジティブな会話と錯覚させる

最近は日本でも、「パワーブレックファスト」や「パワーランチ」というように、朝食や昼食を取りながら社内会議をしたり、クライアントと打ち合わせをするスタイルが定着してきました。

人間の脳はおいしいものを食べたり、素敵な雰囲気の場にいるときには否定的な思考にならず、そのときのことをよく記憶しているといわれています。また、飲食を楽しみながら仕事の話や相手と交渉を行うことは、ポジティブな話を導き出すための非常に有効な手段であるという心理学的な裏付けもあるのです。

アメリカの心理学者であるグレゴリー・ラズランはこれを**「ランチョン・テクニック」**と命名し、**おいしい食事や楽しい時間のなかで交わされた会話や人物に人間は好印象を抱く**と提唱しました。

おいしいお昼ごはんを食べながらの打ち合わせでは、ランチョン・テクニックが働くだけではなく、ある対象とある対象がお互いに結びついているものだと錯覚する**「連合の原理」**も働くために、そのときのおいしい料理と打ち合わせが「とてもよい雰囲気の打ち合わせ」として記憶に残るうえに、あなた自身も好感度が高い相手として印象に残ることになります。

ちなみに「ランチョン」とは英語で「形式ばった昼食」という意味ですが、気持ちのよい食事の場であるなら、お昼以外でも同じような効果が得られるでしょう。そう考えると、昔から広く行われている「接待」という慣習も、心理学的に理にかなっているといえます。

また、ランチョン・テクニックは仕事の場面に限らず、恋愛などのシチュエーションにも利用することができます。出会って間もない異性から自分に対する好意度を高めたいときや、相手を口説く場合にも、このテクニックは効果があるのです。

黒い！テクニック

多数派を服従させる「モスコビッチの方略」

社内外の人間とプロジェクトチームを組んで仕事を進めていくうえで、自分の意見がなかなか採用されなかったり、チームの和を乱すような反対意見を口にしたことで、周囲から冷たい目で見られたような経験はないでしょうか。

経験や実績があまりない場合はとくに、自分の意見を集団のなかで通すことはなかなか難しいことではあります。しかし、**「モスコビッチの方略」**という心理テクニックを利用すれば、あなたの意見が周囲の理解や承認を得られるかもしれません。

モスコビッチの方略とは、**集団の中の少数派が多数派に影響を与える**という**「マイノリティ・インフルエンス」**という心理原理で提唱されている方法のひとつで、実績などがない人間であっても、自分の意見・主張をかたくなに繰り返し、一貫した態度を取り続けることで、多数派の意見を切り崩すことができるとされています。

例えば、何度突っ返されようが「この企画なら絶対プレゼンに勝てます！」と同じ企画を出し続けていると、多数派のなかでは自分たちに対する信頼が揺らぎはじめ、「もしかしたら自分たちが間違っているんじゃないか…」「そこまで言うならやってみようか…」と、その意見を受け入れてしまいやすくなるのです。

これはフランスの心理学者であるセルジュ・モスコビッチが4人の被験者と2人のサクラを使い、青色のスライドの色を回答してもらうという実験を行ったところ、少数派であるサクラが「緑」と一貫して〝間違った〟意見を回答すると、**多数派の被験者も少数派の一貫した回答に影響されたた**という結果にもとづいています。

上司、部下、同僚etc.職場の人間関係を操る悪魔の心理術

正社員、契約社員など、立場も違えば、年齢や性別、育ってきた環境も異なる様々な「個」が集まるのが会社。

時代遅れの精神論にしがみつく頑固な上司、面倒なことはすべて他人任せの同僚、生身のコミュニケーションがとれないデジタルネイティブの若手社員etc.と、会社には面倒くさい相手もいるのが正直つらいところです。

そこで、この章では**会社のなかで円滑に仕事を進めていくために欠かせない悪魔の心理術**を紹介していきます。

そもそも上司は全員〝無能〟

「見当はずれのアドバイスしかできない」「セクハラギリギリのセリフを平気で吐く」「覚えたてのビジネス用語を使ってデキるフリをする」――自分の周りには、どうして頼りにならない

上司しかいないのだろう…と悶々としながら、日々の業務に追われている方は多いでしょう。

実はこの〝使えない上司が多い〟というメカニズムは、南カリフォルニア大学の教育学者ローレンス・J・ピーターが提唱した**「ピーターの法則」**で説明することができます。

彼が1969年に発表した「ピーターの法則」によると、能力主義や成果主義で昇進が決まる会社では、社員が昇進し続けると「自分の能力の限界まで昇進」してしまい、**結局「無能」な人材になってしまう**というのです。

一般的な会社では、能力のある平社員が「こいつならもっと上のレベルの仕事をこなせるだろう」と期待されて役職につきます。そして、そうした人材のなかからさらに優秀な人間が出世していく構造になっています。

とはいえ、平社員では優秀だった人間が、係長や課長というポストについても同じように力を発揮できるとは限りません。課長としては能力的に不適格な人が課長になってしまえば、その人はそれ以上昇進することができず、同じポストに留まることになります。こうして会社の各役職に、無能な人間ばかりが勢揃いするという事態に陥るのです。

この「ピーターの法則」の変化形といえるのが、**「ディルバートの法則」**です。「ピーターの法則」では、もともと有能だった人が昇進することで無能になると考えられていますが、「ディルバートの法則」では**「無能な者は周りの邪魔とならないように、意図的に昇進させられる」**と、「ピーターの法則」より皮肉の効いた表現で指摘されています。

これは、アメリカの漫画家スコット・アダムスが連載漫画「Ｄｉｌｂｅｒｔ（ディルバート）」

のなかで披露した法則で、アダムスは１９９５年にアメリカの経済紙ウォール・ストリート・ジャーナルでこの法則を解説し、全米で反響を呼びました。

「ピーターの法則」も「ディルバートの法則」もなかなか過激な表現ですが、「言われてみると確かに…」と腑に落ちるのではないでしょうか？

黒い！テクニック

無能上司の「欲求」を満たすコツ

有能な上司のもとでなら楽しく円滑に業務を進めていくことができるでしょうが、もし〝無能な上司〟についてしまったら、部下として一緒に働くうえでどんなことに気を配ればいいのでしょうか。

「あの人に相談しても、見当はずれのことしか言わないから」「精神論ばかりで、建設的な相談ができない」といった理由で上司とのコミュニケーションを避けていては、上司にとっても面白くないでしょうし、「生意気だ」「オレのことを見下している」と怒りを買いかねません。**悪意には悪意で応えてしまうという「悪意の返報性」**の心理が働いて、あなたの評価に影響が出る恐れもあります。

上司といえども人間ですから、**周りの人間から尊敬されたり、好かれたいと常に思っているもの**です。アメリカの心理学者アブラハム・マズローは、人間には**5つの欲求**があると定義しています。

●マズローの欲求5段階説

①**生理的欲求**：食べる・排泄するなど、生きるために最低限必要な本能的欲求
②**安全欲求**：身の安全や生活の安定を求める欲求
③**親和欲求**：自分が所属できる集団や仲間を求める欲求
④**自尊欲求**：他人から認められたい、好かれたいと願う欲求
⑤**自己実現欲求**：①〜④までの「基本的欲求」がすべて満たされ、自分の可能性を求めたいと願うようになる欲求

暮らしが豊かになった今の日本では、「生理的欲求」や「安全欲求」はほとんどの人が満たされています。しかし、周囲の人間に受け入れてもらいたい、尊敬してもらいたいという「親和欲求」や「自尊欲求」は、生活基盤がいくらしっかりしていても満たされるものではありません。上司との付き合いにおいても、これらの欲求をいかに充足させるかがポイントとなります。

「○○くん」と上司に呼ばれたのに、あの人は好かないからと聞こえないフリをしていたら、上司の「親和欲求」は満たされません。面倒でも愛想よく返事をしてあげるのです。朝の朝礼で部長が話しているのなら、不機嫌そうな態度をとらずに、話の笑いどころでは一緒に笑ったり、相づちを打ってあげる。こうした簡単な行動の積み重ねで、相手の欲求は満たされていき、上司のなかであなたは**「自分を上司として尊重している存在」として、強く印象に残る**のです。

黒い！テクニック

「姿勢反響」で楽に上司から信頼を得る

管理職についている人間は、部下に自分と同じ行動や考え方を持つことを求める傾向にあります。自分の言うことを聞かずに勝手に動いている人間は、たとえその人が優秀でも矯正や排除をしたくなりますし、自分のやり方に従う部下は、とくに取り柄がなくても高い評価を与えてしまいがちです。

ですから、会社をはじめとする集団に所属する多くの人間は、**自分が逸脱しないようにその場の空気に合わせる「同調行動」**を取ろうとします。

これは、アメリカに亡命したポーランド生まれの心理学者ソロモン・アッシュが実証したもので、人は複数の人間がいる集団のなかでは、多数意見の影響を受けやすく、多数派と同じ行動や主張を意識的、無意識的かを問わずに行なってしまうのです。

この同調行動を利用して、上司からの信頼を得る方法があります。やり方は簡単です。上司と一緒に昼食に行って、相手が選んだメニューと同じものをオーダーするのです。上司がトンカツ定食を頼んだら、あなたも同じものをオーダーします。「油ものは控えたくて…」など と違うものを頼んでは効果がありません。

これは**「姿勢反響」**という同調行動のひとつを利用したテクニックです。人は他人と打ち解けることによって信頼関係ができると、しぐさや表情、行動などがお互いに似通ってきます。**仲のよい友人や恋人間によく見られる現象**で、鏡のようにお互いが似た行動をとることから心理学では**ミラーリング**とも呼ばれています。相手の話す速度や口調などが似てくる**ペーシング**もその一種です。

この姿勢反響を意図的に起こせば、**あなたが自分（上司）と同じような価値観を持っている「評価するべき人間」だと錯覚させる**ことができるわけです。

人間のコミュニケーションの基本は「言葉」ですが、対個人の対話では、言葉で伝わるメッセージが35％、残りの65％が表情やしぐさ、行動といった言葉以外の手段（ノンバーバル・コミュニケーション）で伝えられていると、アメリカの人類学者レイ・バードウィステルは説明しています。つまり、人間は言葉以外のしぐさや行動などから、非常に多くのメッセージを読み取っているのです。

上司の気分がよくなるようなお世辞に加えて、言葉以外のこうしたコミュニケーションを積極的にとることも、自分の評価を高める有効なテクニックといえます。

黒い！テクニック

うるさい上司を黙らせる「反同調行動」

姿勢反響は相手に同調する行動ですが、その反対が**「反同調行動」**です。先に挙げた昼食の例のように、上司と同じものをオーダーすれば同調行動をしていることになります。また、にこやかに話してくる人に対して、笑顔で相づちを打ってあげることも同調行動のひとつです。会話においては、相手の行動やしぐさに同調してあげることで、相手にとって話しやすい雰囲気が生まれ、楽しい会話が続いてきます。

しかし、相手が楽しそうに会話をしているのに、あなたが不機嫌な態度をとっていると、話し手は自分の話に興味がない、共感していないと感じて、会話は中断してしまうでしょう。これが反同調行動です。こういう行動は控えたほうが円滑なコミュニケーションができますが、ときには反同調行動を取ることも効果があります。

例えば、上司からイヤミたっぷりに延々と怒鳴られているとき、「すみません、すみません…」と萎縮ばかりしていたら、それは相手への同調行動となり、イヤなシチュエーションはいつまでも続いてしまいます。

そこで、例えば次のような反同調行動をとって、あなたの冷静な態度に対して相手が同調行動をとるように仕向けるのです。

上司「だからあれほど言っただろう！　そもそも君は――」

部下「部長、大きな声で怒鳴らないでください。周りにも迷惑ですから」
上司「何だと!? 口答えするのか!」
部下「怒鳴られてばかりでは話になりません。冷静になってくださいとお願いしているんです」

怒りで興奮している相手には怖じ気づいたりせずに、**淡々と冷静に、相手の不当な言動を指摘**してあげましょう。そうした態度が相手をひるませて、やがて怒りは収まっていくはずです。

黒い!テクニック

挑発してくる上司は「沈黙」でひるませる

相手を挑発して、何が何でも怒らせたいと思っている意地の悪い上司もいます。冷静に相手の不当さを指摘する反同調行動をとっても追い打ちをかけてきて、こちらが思惑通り〝逆ギレ〟するのを狙って

いるのです。

そうした相手には、いくら罵声を浴びせられても言い返さずに、**「沈黙」という反同調行動**をとってください。

相手にわかるほどの大きなため息をついて、悪口で刺激された自分の怒りを収めるように呼吸を整えるのです。怒りがこみ上げてきても落ち着いて、とにかくひと言も言い返さずに、沈黙を貫いてください。

沈黙には「沈黙の意味を相手に考えさせる」効果があります。「反省して何も言い返せないのか？」「もしかして殴られるのではないか…」などと、様々な憶測で上司の頭はいっぱいとなり、沈黙するあなたの前でひるんでしまうでしょう。沈黙は**〝抵抗手段〟として非常に有効**なのです。

社会に増えている〝甘っちょろい〟若者社員とは

「最近の若いやつは何を考えているのかわからない！」。新入社員や若い部下と接して、こんな不満を口にする社会人はたくさんいるでしょう。自分も昔はその若者であったはずなのに、世代間のギャップによって、どうやって接すればいいのかわからなくなってしまうのです。

しかし、社会人の先輩としてはそうした後輩の面倒も見なければいけませんから、いまの若者にはどんなタイプが多いのか、知っておくことが大切です。

社会保険労務士の田北百樹子さんは、**遅刻や無断欠勤を繰り返したり、上司の言うことを聞かないような若者を「シュガー社員」と命名**しました。シュガー社員には以下のタイプがいるといわれています。

●「シュガー社員」のタイプ

①**ヘリ親依存タイプ**：ヘリ親とは「ヘリコプター・ペアレンツ」のことで、子どもに何かあればすぐに飛んでくる親に依存しているタイプ。

②**私生活延長タイプ**：私生活が最優先で、プライベートの問題を職場にも持ち込むタイプ。

③**ワンルームキャパシティタイプ**：キャパシティが狭く、限定的で簡単な仕事しかこなせない成長性のないタイプ。

④**俺リスペクトタイプ**：自己評価が異常に高く、自分を尊敬（リスペクト）しており、誰かに叱られても他人に責任転嫁をするタイプ。

⑤**プリズンブレイクタイプ**：イヤな仕事はやりたがらずに、問題があると簡単に退職してしまうストレスに弱いタイプ。

いま、こうした**〝自分に甘い〟若者が社会に増えている**といわれています。この背景には、親離れや子離れをしないまま子どもが成年期を迎えるケースが増えたことや、幼いころからデジタルツールに囲まれて、生身の人間関係を苦手とする若者が多いことなどが複雑に絡まっていると考えられています。

「仕事のことで注意をしても、直接謝ってこないでメールで反省の弁を述べてくる」「デスクが隣なのに、仕事の進捗状況をメールでしか連絡してこない」といった行動に心当たりのある方も多いのではないでしょうか。そうした若者を戦力にするためには、自分とやり方が違うからと頭ごなしに怒るのではなく、**彼らの生態を把握したうえでの、コミュニケーションの工夫が必要**なのです。

黒い! テクニック

無気力部下を追いつめる「パブリック・コミットメント」

毎年ゴールデンウィークが過ぎたころから「5月病」という言葉が聞かれます。心理学では**「サラリーマン・アパシー」**と呼ばれている症状で、新入社員が自分の思い描いていた会社生活とのギャップを感じ、**仕事に対して意欲を失って無気力になる状態**をいいます。

こうしたやる気のない社員のモチベーションを上げるためにはどうしたらよいのか。その有効なテクニックのひとつが、**「本人に社員の前で目標を宣言させること」**です。

誰でも物事を進めるときには目標を立てているものですが、一人でそれを抱えているだけではついついサボってしまいがちです。

しかし、人前で目標を宣言すると、その宣言に見合った行動を取らなければいけないという責任感が生じるために、**目標に向かって努力する確率が高くなる**と考えられています。

このような心理現象を**「パブリック・コミットメント」**と呼びます。簡単にいってしまえば、引っ込みがつかないような状況に追いやって、否が応でもモチベーションを高めさせるのです。

黒い！テクニック

使えない部下をその気にさせる「ピグマリオン効果」

やる気のない部下への対応事例はほかにもあります。前述した通り、人は**「親和欲求」**や**「自尊欲求」**を満たしたいという願望を持っています。

そこで、部下に声をかけるときにも、「頑張れよ！」と激励するのではなく、「いま頑張っている」という現状を讃えて、相手の自己肯定感を高めてあげるのです。

心理学では**「ピグマリオン効果」**と呼ばれる心理行動があります。これは、１９６４年にアメリカの教育心理学者ロバート・ローゼンタールが提唱した心理行動で、周囲からの期待が、人の知能や学習意欲に大き

な影響を与えるという説です。

「ピグマリオン」とはギリシャ神話に登場するキプロスの王の名で、彼が象牙で造った女性の彫像を愛してしまい、妻にしたいと熱心に祈っているうちに、愛と美の女神アフロディーテが彫像に生命を与え、王の夢を実現させたという逸話にちなんでつけられました。

相手に期待をかけて、「君はここが上手くできるから、うちの仕事はとても合っているんじゃないかな」「慎重なところが君の長所だね。ここも伸ばせばもっと面白い仕事ができるよ」などと丁寧なフォローを続けていけば、本当にその通りになるのです。

黒い!テクニック

「エンハンシング効果」で身勝手な部下をコントロール

やる気のない部下にも手を焼きますが、有名大学を卒業して自信があり、仕事でバリバリ実績を上げているような部下・後輩のなかには、先輩や上司を基本的に見くびってかかっている人もいます。

ですから、部下から上司に報告・連絡・相談をしないまま、勝手に重要な案件を進めてしまうこともありますし、その行動を上司が注意すると、反発をしてやる気まで失ってしまう場合もあります。

これは**「ブーメラン効果」**と呼ばれる心理現象です。例えば子どものころ、これから勉強しようと思っていたのに親から「勉強しなさい」と指示されて、やる気がなくなってしまった経験はないでしょうか。これは、**説得される側（子ども）が説得する側（親）に「何もわかってない」と感じて**しまっていたり、説得する側の圧力が大きいときなどに起こるとされています。

アメリカの心理学者J・Wブレームは、こうした心理行動を**「心理的リアクタンス」**と名付け、自分の態度や行動を自分で自由に選択したいと思っているがために、それが脅かされると自分の意見に固執したくなる状態にあると指摘しました。

だからといって、上司としては自分勝手に仕事を進めてしまう部下を放っておくわけにはいきません。そんなときは、次の会話のように、部下の自発的な行動に対して賞賛などの**言語報酬**を与え、一層やる気を起こさせる**「エンハンシング効果」を利用すると効果的**です。

上司「○○くん、いつも積極的に動いてくれて助かるよ。今回のプレゼンは難しかったと思うけど、勝因は何だったか、○○くんなりの分析を教えてくれないか？」

○○くん
今回のプレゼンの
勝因をボクにも
教えてくれよ。
勉強しないと…
は…はい…

部下「え…そんなの聞いてどうするんですか？」
上司「優秀な○○くんを見習って、私も勉強しないといけないと思ってね」
部下「それならいいですけど……」

このように、**部下の自尊心をくすぐり、特別感を与えるような言葉**をかけてあげることで、部下のなかでは好意には好意で返さなければいけないという**「好意の返報性」**が働き、上司に恩義を感じるようになります。こうすれば部下のやる気を損なわず、うまくコントロールすることができるのです。

ウソつき部下は「セルフ・ハンディーキャッピング」に陥っている

「打ち合わせに行くと言ってパチンコ屋に行っている」「自分のミスでクライアントに迷惑をかけ、取引を停止されたのに、他の理由をでっち上げる」など、部下が上司につくウソも様々です。

そもそも心理学では、人間は12種類のウソをつくとされています。

●人間がつく12種類のウソ

①**予防線**：約束を何かの理由をつけて断るなど、予測されるトラブルを未然に防ぐためにつくウソ

②**合理化**：失敗してしまったことを責められたときに持ち出す言い訳
③**その場逃れ**：ありもしないことをその場しのぎで言ってしまう
④**利害**：金銭が絡んでいる場合、自分が得をする受け答えをする
⑤**甘え**：自分を理解・擁護してもらいたくてつくウソ
⑥**罪隠し**：犯してしまった過ちを隠すためにつくウソ
⑦**能力・経歴**：相手との関係で自分が優位に立つために、ウソの自己紹介をする
⑧**見栄**：自分をよく見せたいという虚栄心からつくウソ
⑨**思いやり**：相手を傷つけないためにつくウソ
⑩**引っかけ**：笑って済ませられるようなからかいや冗談
⑪**勘違い**：自分の知識不足や勘違いで、結果的にウソになること
⑫**約束破り**：意図的ではないが、約束を果たせず結果的にウソになること

「ウソも方便」と言う通り、仕事や人間関係を円滑に進めるためには、ときにはウソも必要です。しかし、会社に大きな損害を与えてしまう場合や、上司と部下の信頼関係を壊しかねないウソ、さらに、ウソをつくことで部下が自分自身の成長を妨げてしまっているような場合には見過ごすわけにはいきません。

例えば、期限付きの仕事を与えたのに期日になってもそれを提出せず、「ほかの仕事が忙しかったから、それを進める時間がなかった」と〝言い訳〟をしてくる部下がいます。こうした心

理は**「セルフ・ハンディーキャッピング理論」**で説明することができます。

セルフ・ハンディーキャッピングとは、**意識的あるいは無意識的に、物事を成し遂げることが難しくなるハンディーキャップ（不利な条件）を取り入れ**て、成功する確率を自分から下げてしまう行為のことです。

セルフ・ハンディーキャッピングが成功すれば、「これだけ不利な条件だったのに自分は成功した」と自分を肯定できますし、周りからの評価も高まります。また、それが失敗したとしても、「ほかの仕事がなかったらうまくいっていた」などと外的要因を言い訳に自己弁護できるため、自分の失態と向き合わずに済みます。

成功しても失敗してもそれなりにメリットがあるセルフ・ハンディーキャッピングは、**業務を遂行できるだけの能力がある人に限って取ってしまいがちな行動**のようです。しかし、それは自分自身にウソをついていることにほかなりませんし、本当に努力することで得られる充実感や満足感を経験することもできません。

もしこうした行動をとっている部下がいたら、それが本人にとって何の得もない行為であることを自覚させてあげることが必要です。

黒い！テクニック

見下したウソを見抜くには相手のノンバーバル面に注目

相手が自分や会社をナメてかかってウソをついている場合は、早い段階でそのウソを白状させなければいけません。

いったんウソをつけば、それを隠すために次々とウソの上塗りをするようになりますし、自分の手には負えなくなったところで自白をされても、あなたや会社が被る被害が大きくなるだけだからです。そのため、上司や先輩はウソを的確に見破るテクニックを身につける必要があります。

ポイントは、会話のなかで相手の**バーバル面**（言語的要素）と**ノンバーバル面**（非言語的要素）が一致しているかどうかに注目することです。口から出る言葉（バーバル面）は本当のようなことを語っていても、ノンバーバル面が「ウソをついている」という本音を表している場合があるからです。具体的には次のような言動となります。

- **落ち着きがなくなり、手で髪や顔を頻繁に触る**
- **まばたきの回数が増えて、視線がさまよったり、見開いた目で見つめてくる**
- **汗ばんだり、息が荒くなる**
- **言い間違えが多くなったり、尋ねてもいないことを語りはじめる**
- **ポケットに手を入れて隠す**

こうした言動を相手がしているときは、**ウソをついている可能性が高い**と思ってください。

そして、ウソだと疑える場合は、動かぬ証拠をつかみ、徹底的に締め上げるべきです。「いま正直に白状すれば許してやる」「お前が言っていることはバレバレなんだ!」と、すかしたり脅したりして、上司や先輩としての威厳を保ちましょう。

黒い!テクニック

「ホーソン効果」で怠け社員のパフォーマンスを上げる

ひとつのプロジェクトを複数の人間から成るチームで動かすとき、周りを頼ってばかりで自分では何もしようとしない、怠ける社員がひとりは出てくるものです。

これはドイツの心理学者マクシミリアン・リンゲルマンにより指摘されている心理現象で、**「リンゲルマン効果」**と呼ばれています。

リンゲルマンは綱引きを用いて、ひとりで綱引きをする場合、ふたりでする場合、3人でする場合——と、綱引きに参加する人数が増えると、個人が発揮する力にどんな変化が起こるのか実験しました。すると、**綱引きに参加する人数が増えれば増えるほど、一人ひとりのパフォーマンスが低下していく**ことがわかったのです。つまり、人間は集団の歯車のひとつとして何かの作業を行うときには、人数が増えるほど「ほかの人がどうにかしてくれるだろう」と考えてしまい、作業に対する個人の貢献度が落ちていくのです。この現象を心理学では**「社会的手抜き」「フリーライダー現象」**などとも呼んでいます。

では、怠け社員にプロジェクトの一員として力を発揮してもらうためには、どうすればいいのでしょう。ここで利用したい心理テクニックが**「ホーソン効果」**です。

ホーソン効果では、一般的な人間は注目されることを好んでおり、**特別な扱いをされるとさらに能力を発揮しようとする傾向がある**と説明されています。

これはアメリカ・シカゴのホーソン工場で行われた社会実験で導き出されたものです。労働者の作業効率を向上させるために効果的な改善策を調査したところ、作業場の照明の明るさを変える、従業員の休憩時間や賃金といった労働条件を変更するなど、どのような実験を行っても労働者の作業効率が上がりました。このことから、物理的な職場環境の変化以上に、労働者が実験のために訪れた調査員や上司から**「注目されている」と意識したことが、生産性向上につながった**という結果が導き出されたのです。

つまり、**怠け社員にも「自分は注目されている存在だ」「自分がいなければこのプロジェクトは進まない」と意識させることが大切**なのです。

そのためには、相手の仕事の進め方を期待をこめてほめてあげる**「ピグマリオン効果」**や**「エンハンシン**

グ効果」をうまく活用して、相手のやる気を増長させることが効果的でしょう。

黒いテクニック

新しい職場に楽に馴染める「アロンソンの不貞の法則」

例えば転職をすると、新しい職場に慣れるまでは、なかなか気苦労が絶えません。そんな新しい環境で人間関係を作っていく際には、**「アロンソンの不貞の法則」**を利用してみてください。

アメリカの心理学者エリオット・アロンソンは、馴染みの薄い人からの賞賛や評価は、身近な人や親しい人からの賞賛よりも強く感じられると考えました。

例えば、長年同じ職場で働いている同僚から「○○さんは資料をまとめるのが上手だね」と言われるのと、転職してきたばかりの人間から「○○さんの資料ってとてもわかりやすいですね！」と言われるのとでは、相手が受け取る印象にどんな違いが生まれるかは言わずもがなでしょう。

何年も一緒に働いている人から何度も言われている言葉を繰り返し聞かされるよりも、**関係が浅い人からほめられるほうが、より新鮮でうれしく感じるもの**です。

転職先など、新しく人間関係を構築しなければならない状況になったときには、このような人間心理を考慮することが大切です。そのうえで、例えば次のセリフのように、積極的に相手を喜ばせる言葉をかけていきましょう。

「○○さんは英語もできるんですよね。どこかに留学してたんですか?」

「週末フットサルやってるの? 自分もやりたいんだよね」

「カメラが趣味って聞きましたけど、どんなカメラ使ってるんですか?」

「FXで儲かるコツを教えてくださいよ!」


など、相手の得意なことや興味・関心、趣味などをいろいろとリサーチしておいて、会話の端々でこうした話を出していけると、すぐに打ち解け合うことができるでしょう。一見気難しそうな上司や、まだ一度も挨拶をしたことがない社員でも、相手から受け入れてもらいたい、認められたいという「親和欲求」「自尊欲求」を持っているからです。

気になる異性を振り向かせる人たらしの恋愛心理術

「職場で気になる子がいるけれど、なかなか話しかけられない」「バーでいつも会う人をデートに誘いたいけれど、どう切り出せばいいものか…」――仕事がいくらできる人でも、他人の恋愛相談にはノリノリで応えられる人でも、自分の恋愛のこととなると臆病になってしまう人は多いのでは？　まごついている間に相手に彼氏・彼女ができて、恋を諦めてしまったという方は少なくないでしょう。

「似たもの同士が結婚する」とはよくいわれることですが、この現象はアメリカの心理学者であるＥ・バーシャイドらが提唱した**「マッチング仮説」**で説明することができます。

マッチング仮説では、**人は身体的な魅力が自分自身に似ている人間をパートナーに選ぶ傾向がある**とされています。本音では自分よりも身体的に魅力がある異性を求めているはずなのに、実際はそうした異性に告白することで断られるのを恐れ、また、自分より魅力的ではない相手は〝不釣り合いだ〟と拒否するために、パートナーには身体的魅力が互いに酷似している相手が選ばれる傾向にあるというのです。

しかし、もしあなたが憧れの人を自分のモノにできるとしたら？　そのための心理術をこれからご紹介していきます。

人と人が親密になる過程とは

異性が出会い、お互いの関係を深めていく過程は、様々な心理学者の研究対象とされてきました。アメリカの社会心理学者であるロバート・A・ルイスは1973年に、**出会いから結婚に至る人間心理の変容過程を次のような6段階で提唱**しました。

●結婚に至る6段階

段階①**類似性の認知**…価値観、興味、関心などについて、ふたりの共通点を認識する段階

段階②**望ましい関係を築く**…楽しい経験を共有し、相互理解が促進される段階

段階③**自己開示**…自分のことについてありのままに話すことで秘密を分かち合い、親密さの促進につなげる段階

段階④**役割取得**…お互いが足りない部分を補い合い、助け合う段階

段階⑤**役割適合**…その役割がうまくかみ合うようになる段階

段階⑥**結晶**…ふたりの関わり合いを認め、ふたりでひとつの単位として行動する段階

また、アメリカの心理学者バーナード・I・マースタインが1977年に発表した「SVR理論」でも、人間関係の深まり方が3段階でモデル化されています。

●SVR理論

段階①**S(Stimulus)**…見た目や声、性格など、外見や感情表現から刺激を受けている状態

段階②**V(Value)**…物事への興味や関心、価値観などを共有している状態

段階③**R(Rule)**…価値観が類似しているだけではなく、お互いが相手の望んでいることを察知し、双方の役割を担い協調している状態

こうした段階を経て、男女の距離は親密になっていくと心理学では考えられていますが、最初の出会いで形成される**「第一印象」は特に重要**です。なぜなら、初めて出会う相手に持ったイメージは**「初頭効果」として、のちのちの印象形成にも大きな影響を及ぼす**からです。

例えば、友達が「女の子を紹介するから」とセッティングしてくれた場に遅刻して、しかも寝起きのような格好で登場しようものなら、そのときに相手に与えてしまった悪印象を払拭するのは容易なことではありません。

黒い！テクニック

第一印象は「ハロー効果」で操れる！

一方で、見た目が優れていれば、そのイメージによって第一印象は大きく変化します。「ビシッとしたスーツを着ているし、仕事もバリバリこなせるんだろうな」「身なりもきれいでお嬢様っぽいから、性格もおだやかで優しいはず」と、外見のよさに引っ張られる形で、相手のすべてが優れているかのように考えてしまうのです。

こうした心理効果を**「ハロー効果」**と呼びます。ハロー効果が働くのは外見だけではありません。**性格や社会的な肩書き、学歴といった要素のどれかひとつでも際立っていれば、ほかの要素も優れているように思える**ものなのです。

ですから、第一印象が重要な恋愛の場面では、相手が自分に抱くイメージを最大限よくするために、この人間心理を利用して、第一印象を操作してみるとよいでしょう。

例えば、自分のことを内気な性格だと思っている人は、その性格的要素が補えるように、明るい表情

を作る、ポジティブな言葉を使う、せせこましい態度を取らない、清潔で明るめの色の服を着るなど、表面的にもフレンドリーな自分を演じてみせるのです。そうすれば、相手は「なんだか感じのよい人だな」と思い込んでくれるはずです。

また、ハロー効果は自分の周囲の人間からも働きます。職場や取引先の気になる異性と会うときに、**イケメンや美人の同僚・部下を引き連れておけば、彼らの外見的要素が好影響を与え、あなた自身もよりよいイメージに見せることができる**でしょう。

黒い!テクニック

「単純接触」で相手の警戒心を解きほぐす

アメリカの心理学者であるロバート・ザイアンスが提唱した**「ザイアンスの法則」**によると、**「人間は知らない人に攻撃的、冷淡な対応をする」「人間は相手に会えば会うほど好意を持つようになる」「人間は相手の人間的な側面を知ったとき、より強く好意を持つようになる」**といわれています。つまり、人間は知らない人やモノには攻撃的、批判的な対応を取りますが、**繰り返し見聞きする「単純接触」が多くなればなるほど、好意を持つ傾向があるのです。**

テレビや雑誌で繰り返し広告されている商品は、広告出稿量が少ない類似商品よりも親しみを持ちやすいのと同様に、人間関係でもお互いが会う回数が多いほど、警戒心は薄れていくのです。

つまり、気になる異性を振り向かせたいのなら、積極的に相手とコンタクトを取ることが重要なのです。職場にそうした異性がいる場合は、なるべくその人の目のつくところに行って、軽い挨拶をするだけでも構いません。その繰り返しのなかで相手の警戒心を下げ、何かの拍子に自然な会話ができるようになればよいのです。

どんな会話をすればいいのかわからないという方は、ちょっとした頼みごとをしてみてください。「ごめん、修正液貸してくれない？」「携帯の充電器貸してもらえないかな？」などと、簡単に応じてもらえるようなお願いをして、対応してもらえたら、丁寧にお礼をするのです。

相手からすれば人からの頼みごとは面倒ですが、「自分は頼られている」という優越感がくすぐられ、**相手の好意には好意を返そうとする「好意の返報性」**も働くことで、その気持ちに応えたくなるものです。そうしたやり取りを続けていくと、次第に相手の心のなかに「○○さんに親切にしているのは、私が○○さんに好意を持っているからかも…」という無

意識の動機づけがされていき、相手の気持ちをあなたになびかせることができるのです。

また、先に紹介した「結婚に至る6段階」や「SVR理論」でも触れられているように、心理学では**「共通項・類似性の原理」**といって、**お互いが似た者同士であることを意識すると、親密度がアップする**と考えられています。会話のきっかけをつかむために、相手と共通の話題を振ろうとする人は多いと思いますが、その行為は相手に対して安心感を与え、親しみを感じさせるものなのです。

気を引きたい異性に対して、「スマホはiPhone? それともAndroid?」「最近どこかおいしい料理屋見つけた?」というように、答えやすい質問で相手の興味や関心を探りながら、共通項や類似性を確認していくことを積極的に行いましょう。

黒い!テクニック

ふたりの関係性を簡単に深める「相補性の原理」

共通項や類似性が多ければ多いほど、ふたりの親密度はアップしていきますが、そうやって関係性が深まるにつれて、「自分は神経質だけど、彼女はけっこうおおらかなんだな」「私と違って、ファッションにあまり興味ないんだ」などと、相手と自分との相違点にも気づくようになります。

このような段階になると生まれてくるのが、**お互いに相手の足りない部分を補い合い、協調していく関係性**です。これを心理学では**「相補性の原理」**と呼びます。

例えば、神経質な性格にコンプレックスを抱いている男性がおおらかな女性と付き合っていると、男性のコンプレックスが解消されるだけでなく、女性がおおらかなために至らなかったところにも目が行き届くようになり、**自分の弱みが相手の強みになる相互補完の関係性**が生まれていきます。

こうした関係を意識的に作り出して、ふたりの関係をより深くしていくためには、お互いを「先生・生徒」というような役割関係で捉えてみることがポイントです。

相手の男性がファッションに興味がないのなら、女性側が男性のスタイリストになったつもりでアドバイスをしてあげる。料理が不得意な女性なら、男性側は女性も料理を楽しめるように、ふたりで一緒に料理を作ってみる。こうして相互補完ができれば、ふたりの関係性はさらに深まっていくでしょう。

ただし、初対面や出会って間もない相手に対して、**お互いの相違点を強調してしまうのは禁物**です。お互いの似ているところも知らないうちからそうしてしまうと、「私とはソリが合わないな」「考え方が違うかもしれない」と逆効果になりかねないからです。

黒い！テクニック

「自己開示」で相手を思い通りに丸め込む

相手と深い関係になるに従って大切になる行為が**「自己開示」**です。自己開示とは、**自分の感情や価値観、人生観などの情報をありのままに相手に伝えたり、相談したりするこ**

とをいいます。

自分の肯定的なところだけでなく、ネガティブなところも包み隠さずさらけ出すことにより、自己開示された相手は「こんなことを話してくれるなんて、本当に私は特別な存在なのかもしれない」と特別な感情を抱いてくれるのです。**人に何かしてもらうと自分も何かをしてあげたくなる「返報性の原理」**も働くことで、**相手も自分の情報を打ち明け、お互いの理解をより深めることができる**でしょう。

また、「ここだけの話なんだけど…」と特別な情報を教えるという行為によって、秘密の共有関係が生まれますから、相手を丸め込むには効果的なテクニックなのです。

とはいえ、自己開示を知り合って間もないうちに行ってしまうと、相手は身構えてしまったり、相手にとって負担になってしまう可能性がありますから、順を追って自分の情報を共有していくことがポイントです。

自分の自慢話や、自分のことを実際以上に見せるような自己顕示にならないようにも注意が必要です。ありのままを打ち明けるからといって、相手を傷つけるようなことを話すのもいけません。「○○さんってちょっと頭が弱いよね。そこがまたカワイイんだけど…(笑)」と言ったところで、言われた本人には不快感しか残りませんから、相手を思いやってあげることが大前提です。

なお、自分のいいところも悪いところも区別せずに伝える自己開示に対して、**自分が不利益にならないような情報だけを相手に伝えることを「自己呈示」**と呼びます。自己呈示は自分の目的を達成するための手段として、またコミュニケーションを活発にしたり、自分の自尊心などを高めるために必要な行為ですが、情報を操って相手に与える印象を変える「印象操作」と同義に捉えられ、ネガティブな印象で受け取られがちですから、区別して考えることが大切です。

黒い!テクニック

「ひと味違うほめ方」で相手を錯覚させる

気になる異性と近づきたい一心で、「そのアクセサリー、素敵だね」などと、ぱっと目についたモノや見たままの印象をほめてしまった経験はないでしょうか。

他人から自分のことをほめられて、不愉快な気分になる人は少ないでしょう。しかし、誰もが指摘できるようなことを口に出しても、あなたの存在は印象に残らないどころか、むしろ「この人は他の人と変わらないな…」とマイナスの印象を与えてしまいかねません。

意中の人をほめるときには、**ひと味違ったほめ方をして、自分自身を強く印象づけることが大切**です。「そんなことをいっても、相手のことをあまりよく知らないし…」と思われる方もいるでしょうが、**「バーナム効果」**と呼ばれる心理的効果を利用すれば簡単です。

バーナム効果とは、**誰にでも該当するような一般的で曖昧なことを言っても、相手はそれを自分について言われているかのように信じ込んでしまう心理的効果**です。アメリカの興行師であるP・T・バーナムにちなんで名付けられたもので、アメリカの心理学者バートラム・フォアの名前をとって**「フォアラー効果」**とも呼ばれています。

例えば、現代の心理学では血液型と性格との因果関係は実証されていませんが、多くの人が血液型占いや性格判断を信じ込んでいます。「男性がO型で女性がA型だと結婚がうまくいく」「B型同士のカップルはケンカが絶えない」などと言われると、**自分たちのことを言い当てられたかのように〝錯覚〟してしまう**のは、このバーナム効果が働いているからなのです。

相手のことをほめるとき、相手に明るい印象を持ったのなら、「あなたは自由奔放に見られがちだと思うけど、実は物事を冷静に捉えているところがあるよね」と、相手があまり言われ慣れていないようなことからアプローチする。役職に付いている人をほめるのなら「そうやって実績を上げてこられるなかには、ご苦労もあったでしょうね」と、その地位に至るまでのプロセスをほめてあげる。そうすることで、相手に「この人は自分のことをわかってくれているかもしれない」と〝錯覚〟させ、特別な感情を起こさせるのです。

黒い!テクニック

男女で喜ぶポイントはまったく違う!?

異性をほめるときは、男性と女性でうれしいと感じるところが違うということも、恋愛シーンでは念頭に置いておくべきです。

男女の性差が生まれたのは、人間が狩猟採集生活をしていた原始時代のころだと考えられています。男は外に狩りに出かけ獲物を獲り、女や子どもを外敵から守っていましたから、獲物を確実に獲るための戦略的、論理的な思考力、そして獲物を捕らえるという**結果を重視する傾向が強くなった**といわれています。

一方、女は男に守られながら子どもを産み、集団の中で家族の面倒を見ていましたから、集団の中で共感や理解、納得を得ようとしたり、**プロセスを重視する傾向が強くなった**といわれています。

もちろん個人差がありますから、一概に「男は○○である」「女は○○である」と断定できるわけではありません。しかしこうした背景から、「仕事ができる」「いろいろなことを知っている」など、**成果や結果、男としての強さを感じられる言葉に敏感だったり、自分が獲得した戦利品にアイデンティティを有する**のが、男性ならではの特徴ともいわれています。

例えば、仕事で稼いで購入した高級時計や靴、外車といったモノを〝成功のステータス〟として捉えていて、お世辞でそれを褒めるだけでも、待ってましたとばかりに自慢話をはじめる男性はよくいます。

反対に女性の場合は、男性と違って成果や強さなどより〝過程〟をほめられることに喜びを感じる傾向が強いと考えられていますから、気になる女性と仕事のプロジェクトが一緒になったら、「君がいないとこの案件はうまくいかなかった」などと、**結果を問わずプロセスをほめてあげることが、あなたの印象をよくするコツ**といえるかもしれません。

黒い!テクニック

無意識に働きかける「ミラーリング・テクニック」

カフェやレストランにいる仲のよさそうなカップルを観察していると、ふたりが興味深い動作をしていることがあります。例えば「彼氏がコーヒーを飲むと彼女は水を飲む」「彼女がほおづえをつくと彼氏は髪の毛をいじりはじめる」といった具合にです。

どうしてそんな行動が起こるのかというと、**好感や信頼感を持っている相手の仕草や動きを、無意識のうちに真似してしまう「ミラーリング」と呼ばれる人間心理が働く**からです。ミラーといっても鏡に映るようにまったく同じ動作ではありませんが、相手と波長が合っていると、カップルでなくてもこのような現象が起きると考えられています。

あなたが気になる人と一緒にいるときにこのミラーリング・テクニックを意識的に使えば、お互いの波長を合わせ、親近感を生み出すことができるのです。実践するときに気をつけなければならないことは、絶対にバレないようにすること。まったく同じ動作をすると不自然ですから、**さりげなく、ときには少しタイミングをズラして、相手の無意識に働きかけるように**行ってみてください。

うまくいくと、今度は相手が自分の真似をしはじめる**「クロス・ミラーリング」**と呼ばれる現象が起こるはずです。

黒い!テクニック

告白を真に受けてくれない相手に使える心理術の〝ウラ技〟

気になる異性と気軽に会話ができるような関係になったとしても、自分の想いを告白するには勇気がいります。「ほかに好きな人がいたらどうしよう…」などと、断られることへの過剰な恐れが、あと一歩への大きな足かせとなるのです。

しかし、誰かに「好き」と言われてうれしくない人間はそうそういません。たとえ告白を断ってきたとしても、**相手のなかでは「告白された」という事実がうれしい出来事として心に残ります。**さらに「好きです」と言われる状況でも、人から何かしてもらったらお返しをしなければいけないという気持ちになる「返報性の原理」が働きますから、それまでなんとも思っていなかった相手だとしても、その人のことが気になってくるものなのです。

とはいえ、お互いの社会的地位や年齢などが離れすぎてしまっていたりすると、あなたからの告白を相手が真に受けてくれない場合もあります。そんな

黒い!テクニック

「ギャップ効果」で自分の欠点を隠す

とき、相手の気持ちをこちらになびかせるためにはどうすればいいのでしょうか。心理術には**「スリーパー効果」**と呼ばれる〝ウラ技〟が存在します。

ナチス・ドイツの宣伝大臣で〝プロパガンダの天才〟と呼ばれたヨーゼフ・ゲッベルスの有名な言葉に**「ウソも100回言えば真実になる」**というものがあります。この言葉を本人が本当に言ったかどうかについては諸説ありますが、この言葉の内容は心理学的には説明がつく現象なのです。

スリーパー効果とは、人間は相手からの「説得」の信憑性《しんぴょうせい》を初めは疑ってかかるものの、**時間が経つにつれて「信憑性が低い」と疑っていたことを忘れ、説得の内容自体を信用するようになる心理現象**です。言い換えれば、相手の頭のなかで「信憑性が低い」といったん〝眠った〟内容が、時間の経過とともに効果を持ちはじめるということです。

ですから、男女関係においても、ことあるごとに「あなたが好きだ」と繰り返し言い続けていれば、初めは「そんなこと言って(笑)」と真に受けなかった相手も、次第に〝信用できない〟という記憶が薄れていき、「好きだ」という告白を信じはじめてしまうのです。こうした心理作用を知っておけば、初めはあなたにとって不利な状況でも、うまく交際に発展させられるかもしれません。

とはいえ、「スリーパー効果」をうまく機能させるためには、あなたのことを相手は嫌ってはいないということが条件になります。もし、あなたのことを嫌いなのに、あなたが相手に「好きです」と繰り返し伝えてしまっては逆効果になりますし、関係は悪化してしまうでしょう。

もし、嫌われている相手に興味を持ってほしいと考えているなら、**「ギャップ効果」**に望みを託してみてください。ギャップとは文字通り**「意外性」**のことです。**相手があなたに抱いていない好ましい部分を見せる**ことができれば、そこで生まれる意外性により、好感度がアップする可能性があります。

そのためにはまず、**相手が自分をどんなイメージで捉えているのか**をしっかりと理解しなくてはいけません。相手がなぜ自分を嫌っているのか頭を働かせ、できることなら相手の友人や知り合いに、自分はどういうイメージをもたれているのか尋ねてみるとよいでしょう。

「チャラい」「気が強い」「ネクラにみえる」というような、何とかすれば修正できるレベルの原因なら、「実はボランティア活動に熱心に取り組んでいる」「アウトドアが好きで休日はいつも山登りをしている」というふうに落差のあるギャップを生み出して、**自分のマイナスイメージをうまくカバーする**のです。

「ギャップ効果」は嫌われている場合に限らず、様々なシチュエーションにも応用できます。

例えば、仕事場ではいつもデキる男で見せているのに、「疲れて家に帰っても一人だとなんだかさみしいんだよね」と同情を引くようなことを口にすると、聞き手はそのことに自分を投影して「じゃあご飯でも一緒に食べますか？」と言いたくなるもの。このような**「援**

助行動」を引き起こせば、より親密な関係を築くことができるのです。

黒い！テクニック

「ドア・イン・ザ・フェイス」テクニックでデートの誘いを断らせない

気になる異性をデートに誘うときは、誰でも「断られたらどうしよう…」と不安になってしまうものです。しかし、心理術をうまく使えば、相手からすんなり「ＯＫ」をもらえる確率が格段に高くなります。次の会話はその一例です。

男「今度の連休に韓国に遊びに行こうよ」
女「えっ、海外なんてムリムリ（笑）」
男「そうだよね…。じゃあこの週末に大久保の○○っていう韓国料理屋に行かない？」
女「うーん、それならいいけど」

これは、**初めにダメもとの〝過大な要求〟をして、断られたあとで本命の〝小さな要求〟を持ち出す**「**ドア・イン・ザ・フェイス**」と呼ばれているテクニックです。このようなプロセスで説得をすると、相手のなかで「最初の要求を断ってしまった」という罪悪感が生まれるため、次の要求は受け入れてあげようという「**返報性の原理**」が働き、小さな要求が断ら

ドア・イン・ザ・フェイス・テクニック
今度海外旅行いかない?
えっ…ムリムリ…
じゃあ大久保にごはん食べにいこうよ
それならいいけど…
フット・イン・ザ・ドア・テクニック
あそびいこうよ
いいよー
家見たいなー
いいよー
twitterおしえてよ
いいよー
今日泊っていい?
あ、うん…

れにくくなるのです。

「ドア・イン・ザ・フェイス」とは逆に、**相手が断わりにくい小さな要求を積み重ねていき、最終的に大きな要求を受け入れてもらうテクニックが「フット・イン・ザ・ドア」**です。

出会って間もない相手なら、初めに「ＬＩＮＥとかｔｗｉｔｔｅｒのアカウントを教えてよ」と受け入れてもらいやすい要求から投げかけていき、徐々に「休日に遊びに行こう」「家に行ってもいい?」「今日は泊まってもいいかな?」などと、よりハードルの高い要求を投げていくのです。

これは、いったん要求を受け入れたからには**首尾一貫した行動を取らないと自分の信用に影響するという「一貫性の原理」を利用したテクニック**です。「無理なお願い」と断られないように、できる限り小さな要求からはじめてみてください。

黒い!テクニック

「誤前提暗示」で相手の心理を自在に誘導する

「デートに行くことが前提」という、少々つっこんだ誘い方をしてみるのもよいでしょう。「評判のいいお店があるんだけど、和食かイタリアンならどっちがいい?」というふうに、**イエス・ノーでは答えられない「二者択一の質問」**をすると、相手の意識は「和食か、イタリアンか」の質問のほうに意識が集中するため、デートを断わられる確率が低くなるのです。

これは、**初めに間違った前提を与えることで相手の心理を誘導する「誤前提暗示」「誤前提誘導」**と呼ばれる心理テクニックです。

二者択一の質問は「親近化効果」といわれるように、**あとのフレーズのほうがより記憶に残りやすい**のも特徴です。ふたりで食事をしていて遅い時間になってしまったら、「次のお店はどこにしよう。このあたりで探すか、それとも僕の家の駅のほうに移動する?」と問いかければ、後者の選択肢が相手の頭に残り、「じゃああなたの家のほうで…」と言ってしまいやすいのです。こうした要求は、相手が気を抜いているタイミングで不意を突くように行うとより効果があります。

また、**「例えば」や「もし」といった仮定の言葉**をうまく使うことで、相手をその気にさせることも可能です。

男「もしデートでご飯を食べるとしたら、和食、イタリアン、中華、エスニック、どういうのがいい?」
女「私なら和食かな」
男「和食にもいろいろあるけど、何系が好きなの?」
女「やっぱりお寿司かな～」
男「へー。例えば場所はどこがいい? 築地、銀座、六本木…」
女「うーん、築地かな」

男「そっかあ。そういえば、築地でいいお店を知ってるんだよね」
女「へー、いいなあ」
男「じゃあ連れていってあげるよ。木曜日と金曜日ならどっちがいい？」
　というようにたとえ話からはじめると、自分のことを聞かれているにも関わらず当事者意識が薄れるため、相手の心理を誘導しやすくなるのです。

黒い！テクニック

「吊り橋理論」を利用して恋愛感情を引き起こす

　いざふたりで出かけるとなったら、流行りのスポットやおいしい料理が楽しめるレストランもデートコースとしてよいのですが、ぜひ**〝暗いところ〟**にも行けるように予定を組んでみてください。「暗い場所ならふたりの距離も近くなるし…」と想像された方、まさにその通りなのです。

　暗闇に不安や恐怖を抱くのは、太古の昔から変わらない人間心理です。そうした空間ではいつ何に襲われるかわかりませんから、人間は自然とお互いがお互いを守れるよう、寄り添う習性があるといわれています。ですから、薄暗い照明のバーや夜の公園などにふたりで行けば、**物理的距離もおのずと近くなる**のです。

　物理的な距離が近いと、心理的距離も必然的に縮まってきます。アメリカの心理学者ボッ

④

サードが婚約中のカップル５０００組を調査したところ、33％のカップルが半径5ブロック以内に住んでおり、ふたりの距離が離れているほど結婚に辿り着く確率は低かったそうです。

また、人は不安な気持ちになると、無意識に近くにいる相手を意識しはじめます。恐怖を感じて生理的に興奮していると、その興奮が恐怖に対するものではなく、**「相手にドキドキしているのだ」と錯覚してしまう**のです。

これは、カナダの心理学者ダットンとアーロンによって実証された**「吊り橋理論」**と呼ばれる心理現象で、揺れる吊り橋を歩くというような緊張感のある体験を共にすると、恋愛感情に発展する可能性が高いと考えられています。遊園地のお化け屋敷、ジェットコースターといったアトラクションや、スカイツリーや六本木ヒルズの展望台のような高所など、ドキドキできるようなシチュエーションならどこでも効果が望めるのです。

黒い！テクニック

「ボディ・タッチ」で簡単に相手の気持ちを変化させる

相手の身体に適度に触れるという行為も、お互いの親密度を高める効果があることが証明されています。

アメリカで行われたある心理実験によると、男性客に自然に触れながら接客したウェイトレスのほうが、触れないで接客したウェイトレスに比べて約4割ほどチップを多くもらったそうです。軽いボディタッチひとつでも、人間の心理状態は変わるのです。

とはいえ、欧米に比べて日本では、ハグやスキンシップの習慣にまだ馴染みがないのが現状です。女性から男性へのボディタッチは比較的受け入れやすいものなのに対して、男性から女性へのボディタッチは相手を緊張させてしまう場合もありますから、相手が身体を引いたり、鞄をふたりの間に抱え直したりするようなら、ＮＧのサインと考えてください。

身体のどの部分を触れるかも重要です。**男女ともに二の腕は警戒心を与えにくい、女性は頭や髪の毛を触られると弱い**といった実験結果もあります。また、触れるタイミングは会話の途中や食事で席を勧めるときなどに、さりげなく触れる程度にとどめておくことが無難でしょう。いずれにしても、ぎこちなく触って逆効果を与えてしまわないように注意が必要です。

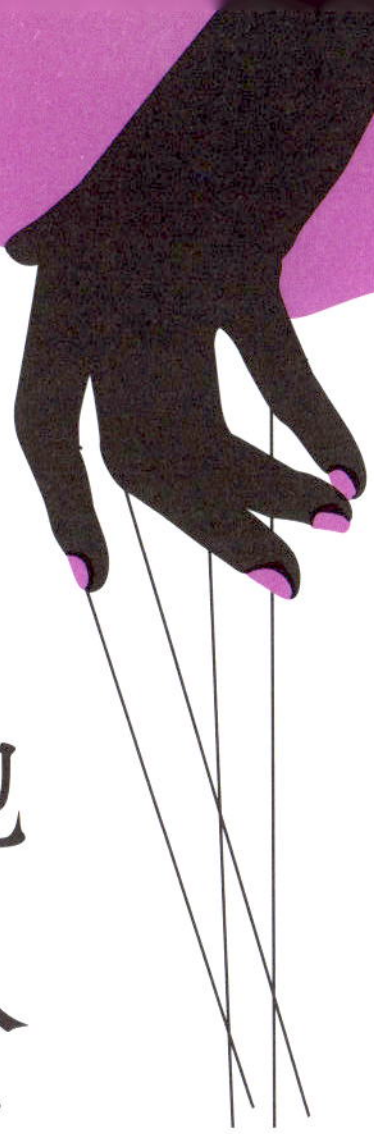

第5章

他人に「操られない」ための心構えとは？

さて、これまでの章では、言葉やしぐさによって相手を自分の意図する方向で操る様々な心理テクニックをご紹介してきました。

このような心理テクニックを知っておくことは、相手を自分の有利な状況になるように操ることはもちろん、そのほかにも役に立つことがあります。それは**他人に「操られる」危険性が少なくなる**ということです。

ここまでご紹介してきた相手を操る心理テクニックは、詐欺やカルト集団などが行なうマインドコントロールの手法として利用されているものもあります。そのため、その「手口」を相手が使っていることに気付ければ、「こいつの話は何か怪しいぞ…」と、無意識でもなにか違和感を覚えるようになるでしょう。

また、人に操られるという状況は、なにも悪質な宗教の勧誘や詐欺のような特殊な場合だけではありません。日常の友達付き合いや恋愛においての人間関係、また、会議や商談などのビジネスシーンなど、皆さんの日常生活のなかでも頻繁に起こりえることなのです。

例えば、ビジネスシーンであれば、社内の人間関係の駆け引きであったり、取引条件についての話し合いなどの場では、相手は自分や自社に有利な条件で契約をするために、あの手、この手で相手の思考を操ろうとするわけです。このような場合に相手の言いなりにならないためにも、**他人に操られないための心構えや心理テクニック**を知っておくことはとても大切なことなのです。

ここではこれまで学んできた心理テクニックを踏まえたうえで、改めて**他人に操られない**

POINT 01

ための心構えや心理術を解説していきます。

すべての人に「いい人」と思われようとしない

人に騙されないために大切な心構え。そのひとつは「すべての人にいい人と思われようとしない」と考えることです。

我々は人に迷惑や不快感を与えないように、他人から信頼される人間になるようにしつけを受けて育ってきました。それが礼儀や社会的常識となって、私たちの行動を左右しています。

例えば、人から何か親切にされた場合は、そのお礼をするのが当然だという教えがあります。このことは心理学用語で**「返報性の原理」**と呼ばれる心理になるのですが、当たり前といえば当たり前の話で、友人や知人から親切にされたら、心情的になにかお返しをしたいと思うのが普通であり、礼儀でしょう。そのようなことがきちんとできないと、友達付き合いはうまくいかなくなるでしょうし、信用もされなくなります。

しかし、このような考え方だけでは、その心理を利用されて騙されてしまうことがあるので注意が必要です。ここで大事なのが冒頭で説明をした**「すべての人にいい人と思われようとしない」**という心構えです。

例えば、粗品や試食などのようにサービスで提供される親切やプレゼントなどの小さな恩義に必要以上に報いる必要はないのです。試食してみて本当に「食べたい」と思えば買えばいいいだけ。そこに過度に報いる必要はありません。試食をしたからといって必ず買わなければならないわけではなく、そこに後ろめたさを感じる必要はないということを覚えておきましょう。

ときには自分の持論や主張を変える勇気も必要

そのほか、自分の意見や態度をコロコロと変えるということは信頼できない人の条件としてよく指摘されます。私たちは他人から信頼されるようないい人でありたいと思うために、**自分の発言と行動を一致させようとします**。

このような心理を心理学用語では**「一貫性の原理」**というのですが、自分の発言と行動が一致しない場合、人は**不快な感情（認知的不協和）**を覚えます。ですから、人はこのような不快な心情になることを避けるために、無理やりに発言と行動を一致させようとする場合があります。

例えば、日ごろから周りの部下に対して「経費削減」を徹底させている上司は、事情が変わって経費を使いたいと思ったときも、部下に「経費削減」を徹底させてきた手前、本当は使ってもいい経費だとしても、なかなか使えないという心理になるわけです。

しかし、そのような**「一貫性の原理」にもとづいた心理行動が強すぎる人は、実は「騙されやすい」**ということがいえるのです。例えば、悪質な宗教団体などは、このような「一貫性の原理」を利用して「自分で一度決めたことを途中で変えることは、心や意志が弱い証拠だ」

と非難して脅しをかけて、「最後まで信念を貫いて一緒に頑張ろう」と励まして、あなたを騙そうとするわけです。

確かに自分の意見がコロコロ変わる人は信用がないかもしれません。しかし、明確な理由があって自分の考えが変わったり、途中で方針を変えるような場合には、そのことをしっかりと周りの人たちに説明して理解を得る努力をすることが大切です。

「いい人だと思われたい」「みんなに尊敬されたい」という気持ちが強すぎると、このような自分の主張をしっかり伝えることができずに、**「一貫性の原理」を利用されて操られたり、騙されたりする場合がある**ので注意しましょう。

他者と違う行動をすることを恐れない

「返報性の原理」「一貫性の原理」のほかに、もうひとつ「いい人と思われたい」という人の意識を逆手に取るときに利用される心理があります。それが人は自分ひとりだけ場違いな行動を取ることを避けようとする**「社会的証明の原理」**です。

「自分の判断に自信がないから、ひとまず他者の行動に合わせておけば安心だろう」という心情になることはよくあることでしょう。また、多くの人が認めているもの、評価しているものは「おそらくそうなんだろう」と思ってしまうもの。

その結果、他人と同じ行動をして同調してしまうことがあります。しかし、他人に迷惑をかけないことは大切ですが、常に他者と同じ行動をする必要はなく、**他者と違う行動に大きな恐れを感じる必要はない**のです。

他人と意見が違ったり、趣味・趣向が違うのは当たり前のこと。意見に耳を傾けることはプライベートでもビジネスシーンでも大切なことですが、安易に他人に同調せずに、**しっかりと自分の意見や考え方に従って行動する**ことも、とても重要なことなのです。

「返報性の原理」「一貫性の原理」「社会的証明の原理」の3つの考え方は言われてみれば当たり前のことですが、人の普遍的な心理現象を日ごろから意識することこそが、「操られない人」になるために重要なことなのです。

POINT 02

感情をあおられている状況で物事を判断しない

悪質や宗教や詐欺の手口では、人の不安や恐怖心、切迫感、優越感、仲間意識などの感情を巧みに利用して、相手の感情をあおろうとします。そして、**その場で決断を迫る**というのが特徴です。

例えば、何か物を売りつけようとする場合には「これはすごく希少性があるんです！　いま買わないとすぐになくなってしまいますよ！」と相手に迫るわけです。これは切迫感をあおりながら、売りつける物の**希少性を強調することで、実際よりも価値があるものに見せるテクニック**でもあります。

一般的に少ない物、手に入りにくい物は価値があり、誰でもどこでも手に入れられる物は価値が低く、値段が安いものです。しかし、ここで大事なことは、その**「希少性」が必ず自分にとってメリットがあるわけではない**ということです。「めったに手に入らない物」というだけで、「あとでプレミアムがついて高値で売れるのでは…」などと想像して、実際の価値以上に魅力を感じたりすることがあるので注意が必要です。

物を買う場合だけでなく、ビジネスシーンでの商談や交渉の場面でも同じようなことがいえます。じらされたり、あおられたりと感情が揺さぶられている状況では冷静な判断はできません。このようなときは絶対に**「その場」での意思決定を避ける**ことが「操られない」ための大切な心構えになります。

その場を離れて、時間をおいてひとりになって冷静に考えることが大切です。金額的にも将来的にも重要な判断である場合は、その問題にかかわりのない自分の信頼できる人に相談してみるのもひとつの方法です。

POINT 03

少しでも不明点があれば納得がいくまで説明してもらう

相手の説明を聞いていて、言っていることが矛盾していたり、話の内容に一貫性がないなどと感じた場合は、その点を指摘して**納得できるまで相手に説明してもらう**ことも、他人に操られないために必要な心構えです。

自分の判断は保留にして先延ばしにしてもよいですが、相手の説明を先延ばしにさせてはいけません。よくある詐欺などの手口では、矛盾点を指摘されないようにわざとこちらが理解できないような**専門用語を使って説明してくる**場合があります。

専門用語を連発されると、その相手のことを専門知識がある人だと錯覚してしまいがちですが、そこで納得せずに、わからないことはわからないと、誰にでも理解できる「普通の言葉」でしっかりと説明させましょう。

説明責任がある立場にいながら、普通の人にわかるように明確な説明ができない人に対しては、「何か怪しいぞ」と疑う目を持つことが大切です。わからないことが悪いのではなく、わかるように説明できない相手が悪いのです。

POINT 04

他人からもらう「不自然で大きな利益」は信用しない

「あなただけにこの儲け話をお伝えするんですよ」「特別に絶対に儲かる投資の情報を教えますよ」――よくある詐欺の手口のなかでもよく聞くフレーズだと思いますが、はっきり言って、そんなうまい話は世の中にはありません。

このように他人からほとんど**無条件に提供される金銭や社会的地位、名誉**などには必ず何かしらの「罠」があると思ったほうがよいでしょう。

相手は言葉たくみにあなたを操ろうとするわけですが、「不自然で大きな利益」かどうかを考えることで、冷静な判断ができるはずです。絶対に儲かるなら、わざわざ知り合いでもない他人に教えたりすることはないのですから。

POINT 05

情報収集力と分析力を身につける

物事を判断するためには、そのための「判断材料」が必要になります。その**材料を集めて比較、検討できるスキル**を身につけることも他人に操られないための大切なスキルになります。

また、同じ事柄についての情報であれば、複数の立場からの情報を集めることも大切です。例えば、スポーツ新聞で同じ試合を取り上げるにしても、それぞれの新聞で取り上げ方は違うはずです。立場が違えば、それぞれのものの見方が違ってくるので、その違いを自分なりに分析して理解しておくことで、知識の幅を広げることができます。

様々な情報を比較すれば、一致するところと矛盾するところも見えてきます。多くの場合、**矛盾するところや異なる立場の情報が発信されているところに問題の核心があります**。相手の話を聞くときにもこのような視点で話を分析できれば、騙されたり、利用されたりすることを防ぐ手助けになるはずです。

POINT 06
絶えず「批判の目」で物事を見ることを忘れない

必要な情報を知り得たとしても、その情報をそのまま鵜呑みにしてはいけません。あなたを言葉巧みに操ろう、だましてやろうとする相手にいいように利用されてしまいます。ここで大切なのが、**知り得た情報を「批判的」に捉える**という視点です。

批判的に捉えるとは「自分の頭で考える」ということ。その基本は**矛盾点を探す**ということです。例えば、相手の主張が社会的な常識や科学的知識、法律から外れたものでないのかどうか、主張そのものの論理に矛盾がないかどうかをチェックしながら話を聞くということです。

また、ビジネスシーンで考えれば、要求される仕事量に対して支払われる対価は適当なのかチェックすることが重要でしょうし、逆に不自然に大きな利益が得られると提案された場合にも注意が必要です。

そのほか、知り得た情報や話の内容に対して、「なんだかよくわからない…」「何かおかしい…」「不愉快な気分だ」など、原因が具体的にはわからなくても、なにかしらの**「違和感」を感じた場合は要注意**。相手に操られそうになっている危険性があります。

自分の無意識の直感や感覚は実は重要なサインとなっていることも多いので、そのような感覚も大切にしましょう。

POINT 07
急なしぐさの変化は「嘘」をついているサイン

ここまでは操られないための心構えを解説してきましたが、最後に**相手が「嘘」をついているかどうかを見破る具体的な方法**について解説していきます。相手が嘘をついていることがわかれば、騙されたり、操られたりすることを防ぐことができます。

相手の嘘を見破るためには相手の**表情や体の動きをしっかり確認**して、そこに表れる〝変化〟に気づくことが大切です。なぜなら、人が嘘をつくときの大きな特徴のひとつに、本人の**身振り、手ぶりなどの動きや態度が〝急に〟変わる**ということが挙げられるからです。

ビジネスシーンであれば、会議や商談の席などで、話している相手がそれまで見られなかった身振りをしたり、身体的な態度が変わった場合は、そのときに話をしている内容になにか隠していることや嘘をついていることがあるのかもしれません。とくに**口のまわりを手で隠すような動きをしたら要注意です。**

そのほか、質問に応えようとする人が自分の**後頭部を触りながら話をしていたら**、それは「自分の話に自信が持てない」という心情の表れだと考えられます。後頭部以外でも耳や首、頬を触るのも同じです。女性の場合は襟や胸元、アクセサリーの類を触っているようなら、その発言に何か不安がある証拠だといえるでしょう。

人は自分や自分の発言に自信を持ちたいときに、無意識に身体のあちこちを触るという特徴があります。手や腕をさすったり、もんだりするような行動は不安や自信のなさを隠そうとしている可能性があります。もちろん、単純にかゆくてさすっている場合や、あなたの話に飽きてしまった場合もあるでしょう。重要なのは、そのような動きがどんな会話の流れで表れたのか、**相手の発言内容を考慮して判断する**ことが大切なポイントになります。

このように相手のしぐさを観察して、明らかにあやしいそぶりが見てとれた場合、次のような方法で、より正確に嘘や隠し事をしているかどうかを判断することができます。

まず、当たり障りのない別の会話をして、そのときの相手の身振り、手ぶりを観察して覚えておきます。次に嘘をついていそうな内容やなにか隠しごとをしていそうな話題について、話を振ります。そこで相手のしぐさなどに変化がないかどうかチェックするのです。

話題を変えた際に、しぐさや態度に急な変化があれば、ほぼ間違いなく、あなたに対して嘘をついていたり、なにかやましい意図が含まれた話をしているのだと考えられるでしょう。

おわりに

本書を最後までお読みいただき、ありがとうございます。

「他人が自分の思う通りに動いてくれたらいいのに」——それは誰しもが願う欲求でしょう。人は誰でも自分のことが大好きで、自分のことに一番興味があるからです。

だからこそ、「相手は基本的に自分のことを理解してくれる」という思い込みが生まれ、コミュニケーションがうまくいかない原因となっています。とくに社会人にとってコミュニケーション能力は、仕事をしていくうえで最も大切なスキルなだけに、多くの人が悩みを抱えていることでしょう。

おわりに

よりよい人間関係を築くことや円滑なコミュニケーションを図るためには、**「相手に興味を持ち」「相手を理解して」「相手に想いを伝えること」にどれだけ真摯《しんし》に向き合えるかが重要**になります。そのときに、本書で紹介してきた相手の心理を読みとる方法や相手を操る心理テクニックはおおいに役に立つはずです。

上手に相手を「操る」ことができれば、対人関係や人とのコミュニケーションはきっとより豊かなものになるでしょう。「他人を支配する」「人を操る」スキルを手に入れるということは、**「相手が気持よくなるコミュニケーションスキルを学ぶこと」**なのです。

本書で学んだ心理学の基本や心理テクニックが、人と円滑なコミュニケーションを築くことに少しでも役立てば幸いです。

さて、本書を読んだあなたは、まずは誰を〝操り〟ますか？

参考文献

『セレクション社会心理学―14　しぐさのコミュニケーション――人は親しみをどう伝えあうか――』（大坊郁夫／サイエンス社／1998）
『児童学の心理学的基礎Ⅱ』（山岡重行／聖徳大学通信教育部／2001）
『ダメな大人にならないための心理学』（山岡重行／ブレーン出版／2001）
『なかよくしようぜ！！―ダメな大人にならないための心理学2―』（山岡重行／ブレーン出版／2003）
『面白いほどよくわかる　社会心理学』（晨永光彦／日本文芸社／2003）
『「人たらし」のブラック心理術――初対面で100％好感を持たせる方法』（内藤誼人／大和書房／2005）
『ワルの「奥の手」　相手の心を思うままに動かす技術』（匠英一／幻冬舎／2005）
『本当に役に立つビジネス心理学』（山岡重行／河出書房新社／2007）
『「しぐさ」を見れば心の9割がわかる！』（渋谷昌三／三笠書房／2008）
『使える！悪用禁止の心理学テクニック』（岡崎博之／宝島社／2008）
『面白いほどよくわかる「人間心理」の説明書』（おもしろ心理学会／青春出版社／2008）
『一瞬で「他人の心理」がコワいほど読める！』（おもしろ心理学会／青春出版社／2009）
『あの演説はなぜ人を動かしたのか』（川上徹也／PHP研究所／2009）
『面白いほどよくわかる！　心理学の本』（渋谷昌三／西東社／2009）
『サイコ・ナビ　心理学案内』（山岡重行／ブレーン出版／2010）
『心を透視する技術』（伊達一啓／日本文芸社／2011）
『【図解】一瞬で人を操る心理法則』（内藤誼人／PHP研究所／2011）
『キーワードコレクション　社会心理学』（二宮克美・子安増生／新曜社／2011）
『心を上手に透視する方法』（トルステン・ハーフェナー／サンマーク出版／2011）
『人の心を操る技術　マインドリーディングと話し方で交渉もコミュニケーションも上手くいく』（桜井直也／彩図社／2012）
『「人の心」が手に取るようにわかる心理学』（渋谷昌三／三笠書房／2012）
『面白いほどよくわかる！他人の心理学』（渋谷昌三／西東社／2012）
『相手を自在に操るブラック心理術』（神岡真司／日本文芸社／2012）
『独裁者の最強スピーチ術』（川上徹也／星海社／2012）
『人の心を自由に操る技術　ザ・メンタリズム』（メンタリストDaiGo／扶桑社／2012）
『心を上手に操作する方法』（トルステン・ハーフェナー／サンマーク出版／2012）
『「気がきく人」と思わせる103の心理誘導テクニック』（神岡真司／角川学芸出版／2013）
『なぜ、カノジョは原価100円の化粧品を1万円で買ってしまうのか？』（神樹兵輔／フォレスト出版／2013）
『社交的な人ほどウソをつく』（内藤誼人／日本経済新聞出版社／2013）
『しぐさとクセで本音を見破る心理学　一瞬で相手の心を読み、自在に誘導する方法』（内藤誼人／日本実業出版社／2013）
『思いのままに人をあやつる心理学大全』（齊藤勇／宝島社／2013）

マルコ社／既刊

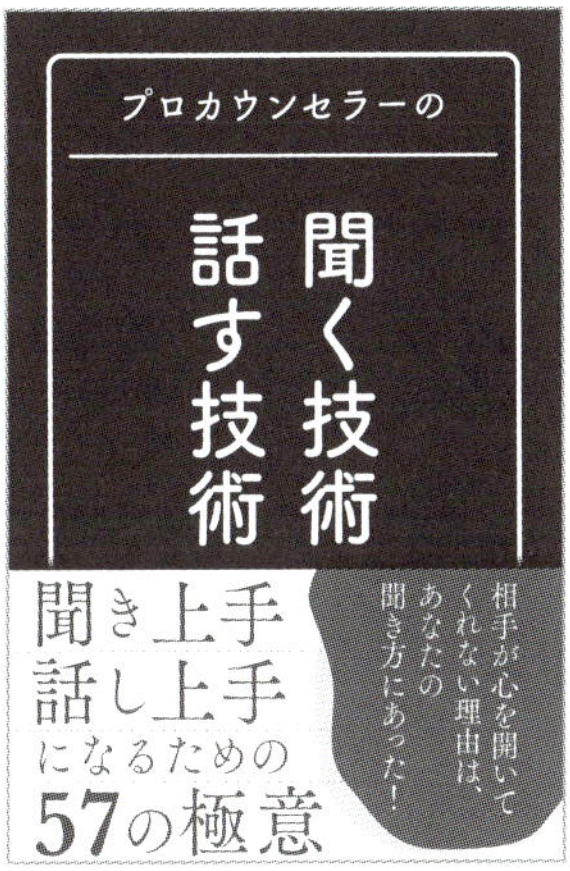

発行	マルコ社
編集	マルコ社
発売	サンクチュアリ出版
定価	本体1300円＋税
頁数	224P
ISBN	978-4-86113-674-0

『プロカウンセラーの聞く技術・話す技術』

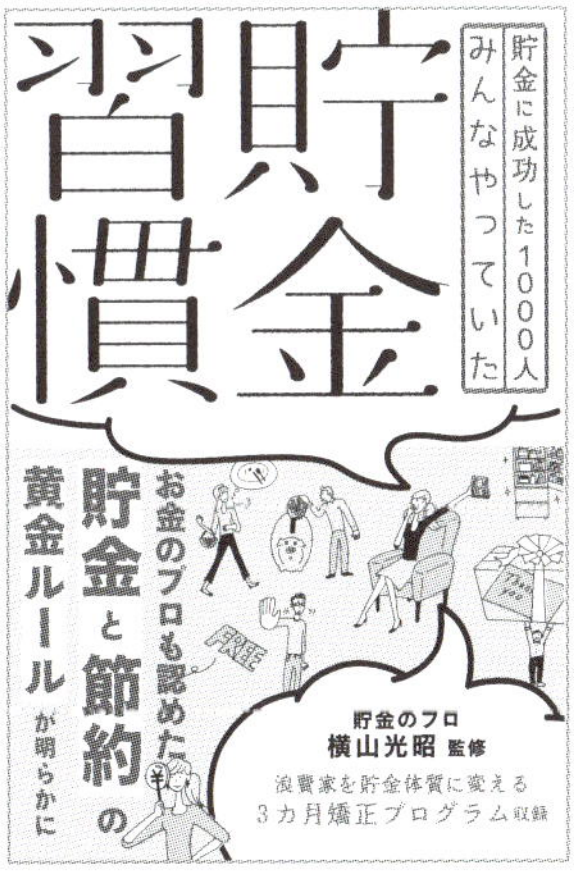

発行	マルコ社
編集	マルコ社
発売	サンクチュアリ出版
定価	本体1150円＋税
頁数	256P
ISBN	978-4-86113-676-4

『貯金に成功した1000人みんなやっていた 貯金習慣』

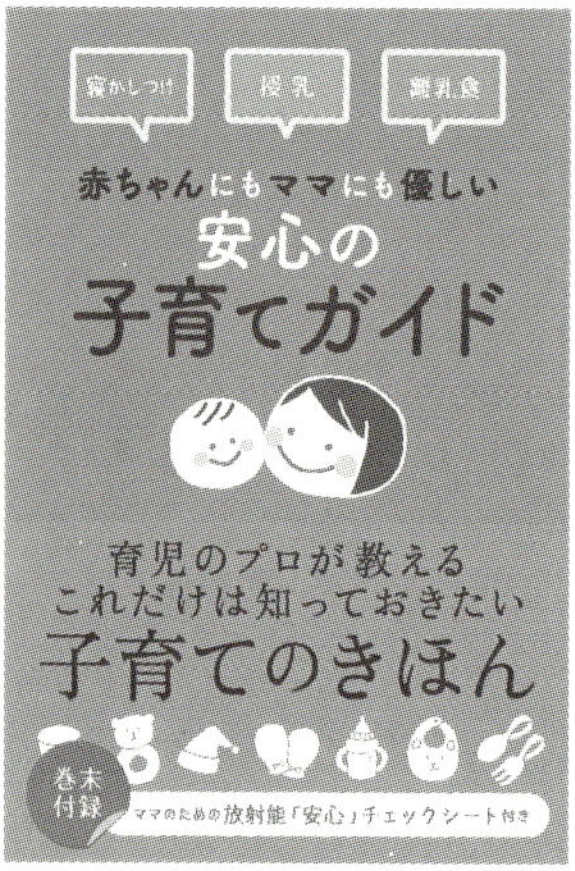

発行	マルコ社
編集	マルコ社
発売	サンクチュアリ出版
定価	本体1250円＋税
頁数	224P
ISBN	978-4-86113-675-7

『赤ちゃんにもママにも優しい 安心の子育てガイド』

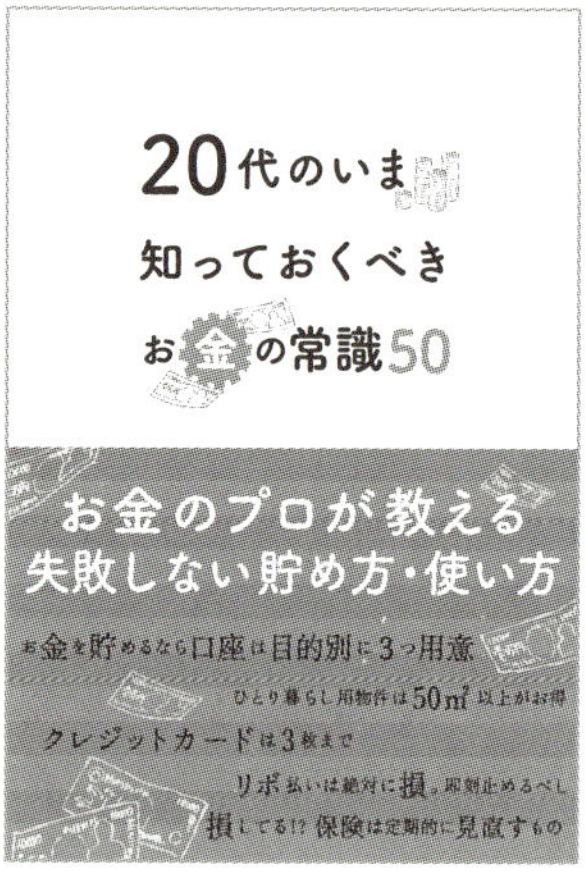

発行	マルコ社
編集	マルコ社
発売	サンクチュアリ出版
定価	本体1300円＋税
頁数	224P
ISBN	978-4-86113-673-3

『20代のいま知っておくべき お金の常識50』

マルコ社／既刊

発行	マルコ社
編集	マルコ社
発売	サンクチュアリ出版
定価	本体1350 円＋税
頁数	152P
ISBN	978-4-86113-672-6

『3歳までにやっておきたい育児法ベスト30』

発行	マルコ社
編集	blst
発売	サンクチュアリ出版
定価	本体1200円＋税
ISBN	978-4-86113-671-9
対象年齢	0歳から5歳

『シールでつくるむかしばなし ももたろう』

他人を支配する黒すぎる心理術

2013年 9 月10日　初版第1刷発行
2016年 3 月25日　　　第35刷発行

編　　集
マルコ社

執　　筆
verb（太田健作、岡本のぞみ、成田敏史、杉原真規子）

デザイン・DTP
齋藤雄介（blue vespa）

イラスト
コットンズ

発 行 者
梅中伸介

発 行 所
マルコ社（MARCO BOOKS PTE.LTD.）
〒151-0053　東京都渋谷区代々木3-1-3　AXISビル5F
電　話：03-5309-2691　FAX：03-5309-2692
e-mail：info@marcosha.co.jp
公式facebook：http://www.facebook.com/marcosha2010
ウェブサイト：http://www.marcosha.co.jp

発　売
サンクチュアリ出版
〒151-0051　東京都渋谷区千駄ヶ谷2-38-1
電　話：03-5775-5192　FAX：03-5775-5193

印刷・製本
株式会社シナノ

ISBN978-4-86113-677-1